KB196583

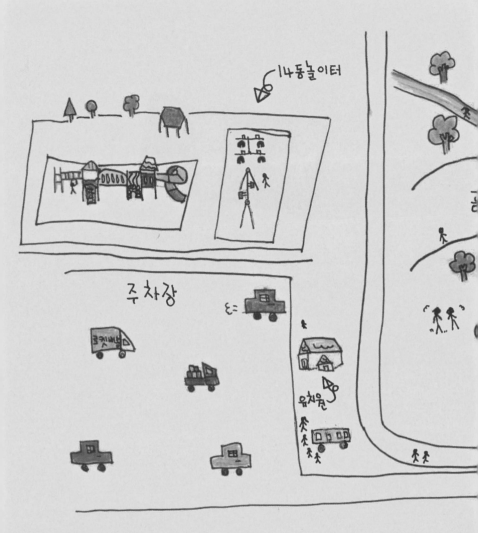

14동놀이터

주차장

로켓배달

유치원

아파트

18동놀

박서령 ♀ 2019.12.22

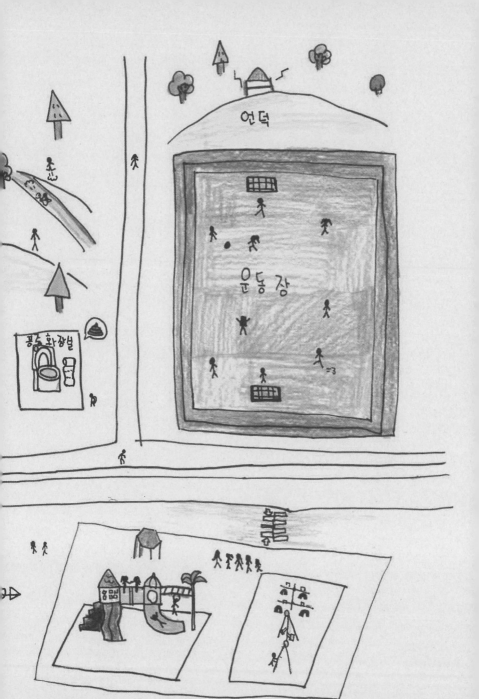

놀이터 일기

놀이터에서 아빠와 딸이 함께한 봄 여름 가을 그리고 겨울

박찬희 글·사진

이 도서는 한국출판문화산업진흥원의 '2019년 출판콘텐츠 창작 지원 사업'의 일환으로
국민체육진흥기금을 지원받아 제작되었습니다.

놀이터 일기

놀이터에서 아빠와 딸이 함께한 봄 여름 가을 그리고 겨울

초판 발행일 2020년 1월 20일

글·사진 박찬희
펴낸이 유현조
편집장 강주한
디자인 박정미
인쇄·제본 영신사

펴낸곳 소나무
등록 1987년 12월 12일 제2013-000063호
주소 경기도 고양시 덕양구 대덕로 86번길 85(현천동 121-6)
전화 02-375-5784
팩스 02-375-5789
전자우편 sonamoopub@empas.com
전자집 blog.naver.com/sonamoopub1

ⓒ 박찬희, 2020
ISBN 978-89-7139-838-8 03810

이 도서의 국립중앙도서관 출판예정도서목록(CIP)은 서지정보유통지원시스템 홈페이지(http://
seoji.nl.go.kr)와 국가자료공동목록시스템(http://www.nl.go.kr/kolisnet)에서 이용하실 수
있습니다.(CIP제어번호: CIP2020000513)

놀이터 일기

놀이터에서 아빠와 딸이 함께한 봄 여름 가을 그리고 겨울

박찬희 글 · 사진

소나무

글 싣는 순서

나는 놀이터에서 무엇을 보았나

몇 해 전 어느 봄날, 놀이터에서 진심으로 노는 아이들을 보았다. 놀 때는 오직 노는 데에만 집중하는 아이들을 보며 놀이터에서 딸아이를 지켜보는 것 외에 나도 즐겁게 할 수 있는 일을 찾아보기로 했다. 그때 '기록하기'가 떠올랐다. 뭔가를 관찰하고 기록하는 건 내 취미였고 비교적 잘할 수 있는 일이었다. 많은 사람들이 이용하는 놀이터에서 어떤 일이 일어나는지 관심 있게 살펴보고 싶었다. 만약 꾸준히 기록한다면 내게도, 아이들에게도, 어른들에게도 이 시간의 기억을 선물할 수 있고 또한 놀이터와 놀이를 고민하는 사람들에게도 도움이 되지 않을까 싶었다.

이렇게 해서 봄부터 가을까지 세 계절 동안 놀이터에서 지냈다. 딸아이가 유치원에서 나오는 때부터 늘 두세 시간을 놀이터에 머무르며 보고 듣고 느낀 것을 기록했다. 처음 시작할 때만 해도 어떤 내용으로 채워질지 가늠할 수 없었다.

의식적으로 놀이터를 보면서 구경 대신 아이들 속으로 들어가 보려고 했다. 아이들에게 "같이 놀자. 우리 이렇게 놀아 볼래?"라는 말을 자주 쓰기로 마음먹었다. 아이들이 "괴물놀이 해요"라고 할 때는 괴물이 되었고 술래잡기를 할 때는 술래가 되었다. 때로는 나뭇가지로 낚시놀이를 했고 고무줄놀이를 했으며 도시락을 싸 놀이터로 소풍을 갔다.

관찰과 기록을 떠나 신나게 노는 아이들을 보는 것 자체만으로 기쁜 일이었다. "저렇게 좋을까!" 싶을 정도로 아이들은 웃고 떠들고 흥분하고 뛰어다녔다. 이런 모습은 놀이터에 나오는 어른들의 보람이었다. 아이들뿐만 아니라 아이들과 정신없이 놀 때는 나 역시 즐거웠다. 한바탕 뛰고 나면 뭐라 말할 수 없는 시원함이 물밀듯이 밀려들었는데, 어렸을 때 놀고 나면 들던 그 느낌이었다. 놀아 주기가 아니라 같이 노는 순간 즐거움은 훨씬 컸고 같이 노는 그 순간만큼은 놀이터가 아이와 어른, 모두의 것이었다.

아이들과 놀지 않을 때는 아이들이 어떻게 노는지 유심히 살펴보았다. 아이들에게 놀이란 어떤 의미인지, 어떻게 노는지, 놀이를 통해 무엇을 배우는지, 갈등은 왜 생기고 어떻게 해결하는지가 보였다. 그동안 나름대로 안다고 믿었던 아이들과 놀이터가 새롭고 낯설게 다가왔다. 아이들 속으로 제대로 들어가지 않는 한 놀이터는 제대로 보이지 않았다.

놀이터의 주인공은 아이들뿐만이 아니었다. 놀이터에 나가면서 딸아이 친구들과 친구들의 할머니, 엄마, 아빠들을 중심으로 자연스레 모임이 생겼다. 먹을거리를 싸오고 아이들을 챙기고 이런저런 이야기를 나누었다. 아마 이분들이 없었다면 매일 놀이터에 나갈 엄두도, 계속 기록할 힘도 내지 못했을 것 같다. 같이 웃고 떠들고 아이들과 실랑이를 벌이며 비가 와 놀이터에 가지 않는 내일을 기대하면서도 다음 날이면 어김없이 나왔다.

아이들이 더 이상 놀이터에 오지 않는 겨울 초, 세 계절의 기록을 끝냈다. 이 기간 아이들을 보면서 사람들에게 놀이는 밥 먹는 것과 같은 본능이라는 점을 분명히 알았다. 아이에게나, 어른에게나, 다른 모든 사람에게나 마찬가지였다. 특히 아이들의 놀이 본능은 더욱 강렬하고 강력하고 솔직해 아이들에 내일이란 없었다.

"친구 따라 강남 간다."

이 말처럼 놀이에서 가장 중요한 건 같이 놀 사람 즉 친구다. 아이들에게 친구가 없는 놀이란 상상할 수 없다. 몇 년 동안 딸아이는 놀이터에 들어서기 전부터 까치발을 하고 친구들이 보이는지 살펴보았다. 친구를 만나면 오랫동안 헤어진 가족을 만난 듯 흥분했고 그렇지 못하면 땅이 꺼질 듯 시무룩했다. 그래서인지 딸아이는 놀이의 3대 요소를 이렇게 꼽았다.

"놀이터, 친구, 놀이기구."

놀이터는 친구들을 편하게 만날 수 있는 열린 공간이다. 지금 우리 주위를 둘러보면 아이들이 뛰거나 소리 질러서는 안 되는 곳이 많다. 그런데 아이들은 뛰고 소리 지르며 놀려고 한다. 아이들의 이런 욕구는 어디에서 해소할 수 있을까? 놀이터다. 아이들은 이곳에서 함께 뛰고 소리 지르며 한순간도 멈추지 않고 지루할 틈이 없이 순식간에 두세 시간을 보낸다. 반면 하품을 하며 연신 시계를 쳐다보는 건 어른들이다.

아이들에게 놀이터는 어떤 곳일까? 마음껏 상상할 수 있는 공간이자 상상이 곧바로 실현되는 현실의 공간이다. 괴물놀이를 할 때는 진짜 괴물과 결투를 벌이고, 역할놀이를 할 때는 놀이터를 눈 깜짝할 사이에 우주선과 부엌과 유치원으로 변신시킨다. 놀이터의 아지트는 어른의 눈길을 피해 자신들만의 상상을 펼치는 신성한 독립 공간이다. 아이들은 놀이터의 모든 것을 창의적으로 해석해 어른이 정한 대로 놀이기구를 사용하지 않을 뿐만 아니라 눈에 보이는 모든 것을 놀잇감으로 만드는 마법을 부린다.

아이들은 놀면서 다른 사람들과 함께 살아가는 법을 배운다. 놀려면 대화를 해야 하는데, 대화를 하며 자기 의견을 말하고 다른 친구들 의견을 귀담아듣는다. 때로는 자기 의견을 관철시키고 또 친구의 의견을 수용한다. 놀이규칙을 만들고 규칙에 어긋나면 어떻게 할지 결정을 내린다. 친구들과 다툼을 벌이면서 화를 내는 법과 아울러 화해하는 법을 배운다. 힘든 일이 있을 때는 서로 힘을 모아 헤쳐 나간다.

놀이터에서는 매일매일이 도전이다. 아이들은 좀 더 역동적이고 아슬아슬하고 긴장감 높은 놀이를 하려고 해 때로는 위험해 보이는 일도 마다하지 않는다. 그러나 겉으로는 위험하고 무모한 것처럼 보여도 대책 없이 무모하지 않다. 새로운 도전을 하기까지 오랜 시간 동안 수많은 준비 단계를 거쳤다. 도전할 상황이 되었을 때 도전하며 그 성취를 통해 한 단계 나아간다. 이런 점에서 아이들에게 놀이터는 도전과 성취의 공간이다.

그렇다면 놀이터의 또 다른 주인공인 어른들은 어떨까? 놀이터에 자주 나오는 어른들은 대부분 엄마와 할머니들이다. 아빠들은 퇴근 후 잠깐 혹은 주말에 아이들과 이곳에서 논다. 어른들은 아이들의 보호자로, 혹은 아이들과 놀려고 나온다. 이때 어른들에게 놀이터는 어떤 공간으로 다가올까? 뛰어노는 아이들을 흐뭇하게 바라보거나 같이 놀다가도 시간이 지나면서 놀이터는 의무방어전을 치르는 곳으로 바뀐다. 어른들의 시간은 아이들과 반대로 흘러 아이들은 시간 가는 줄 모르지만 어른들은 그럴수록 경기 시간 끝날 무렵의 축구 심판처럼 시계를 보는 횟수가 늘어난다.

놀이터에서 어른들이 아이들에게 자주 하는 말은 뭘까?

"위험해, 하지 마."

재미있게 놀면서도 안전하게 놀았으면 하는 바람에서 나오는 말이다. 아이들이 더 높이 올라가는 걸 본다면 어른들은 재빨리 "위험해!"라고 소리친다. 그런데 지나치게 안전이라는 눈으로만 놀이터를 보면 놀이터는 늘 조마조마한 곳이다. 그러나 아이들은 안전한 놀이에 만족하지 않고 새로운 시도를 한다. 마치 어른들이 위험해 보이는 극한 스포츠에 도전하는 것처럼. 이처럼 놀이터는 즐거움, 안전, 규칙, 도전이 공존하고 충돌하는 곳으로 어른들이 어떤 점을 중요시하는가에 따라 아이들 놀이가 달라진다.

놀이터에서 아이들이 가장 듣고 싶어 하지 않는 말은 무엇일까? 다시 말하면 어떤 말에 가장 강렬하게 반응할까?

"이제 들어가자."

어른들의 말에 아이들은 이렇게 응수한다.

"이제 조금밖에 못 놀았다구요."

이 실랑이의 형식적인 승자는 대부분 어른들이다. 그러나 아이들은 집에 들어가 씻고 먹고 자면 그만이지만 어른들은, 특히 엄마들은 밀린 일들이 줄줄이 기다린다. 누가 해줄 것도 아니어서 아이가 늦게 들어가면 그만큼 마음이 바빠진다. 마음이 바빠지면 신경이 예민해지고 그러다 보면 놀이 시간을 두고 실랑이를 벌이는 것조차 버겁다. 옛날처럼 아이들만 놀이터에 나와 논다면, 또 아이가 혼자 나와도 된다면 한결 사정이 나아질 텐데.

지금은 놀이가 아이들의 삶에서 선택적이며 부수적인 것으로 바뀌는 것 같다. 또 이왕이면 놀면서 하나라도 남는 것을 택하는 경향이 커지는 것 같다. 눈에 보이는 즉각적인 효과를 얻을 수 없는 놀이는 단지 시간 낭비일 뿐이고 차라리 그 시간에 다른 걸 하는 게 낫다고 생각하기도 한다. 그래서 본능에 따라 놀고 싶은 아이에게, 스스로에게 이렇게 강요

하는지 모른다.

"내일의 행복을 위해 오늘의 본능은 참아야 해."

그러나 놀이는 본능이고 놀이 그 자체다. 신나게 노는 아이들의 얼굴에 핀 함박웃음으로 아이들이 자란다.

아이는 부모가 믿는 만큼 자란다고 한다. 믿는다는 말에 꼭 들어가야 할 것을 꼽자면 놀이가 아닐까 싶다. 놀이가 아이에게 필요하다고 믿는 만큼 아이는 잘 자란다. 놀이를 놀이 그 자체로 받아들일 때 아이들은 잘 논다. 놀이의 주도권을 아이에게 줄수록 아이들은 즐거워한다.

놀이터에서 많은 사람들을 만났다. 아마 딸아이가 아니었다면 놀이터에 나갈 일도, 아이들의 놀이에 관심을 기울일 일도, 사람을 만날 일도 없었을 것이다. 나를 놀이터로 이끌어 준 서령이에게 고맙다. 그리고 놀이터에서 만난 아이들, 할머니, 엄마, 아빠 등 고마움을 전할 사람이 참 많다. 늘 딸아이의 놀이에 깊은 관심을 보내 준 유재현 소나무 대표님과 오랜 원고를 묵묵히 견딘 강주한 편집장 덕분에 글을 마칠 수 있었다. 그리고 아이의 속마음을 들여다보는 법을 행동으로 알려 준 아내에게 고마운 마음을 전한다.

봄

놀이터 말뚝이

드디어 동네 놀이터에 봄이 왔다.

아이들은 긴 겨울잠에서 갓 깨어난 개구리처럼 팔딱거리며 놀이터 곳곳을 누빈다.

"까르르 까르르."

꽈배기처럼 배배 꼰 그넷줄을 놓자 아이들은 빙글빙글 돌아가고 아이들이 쏟아 낸 웃음소리는 사방으로 흩어진다. 봄을 지나 여름을 거쳐 손이 시려 그네를 잡지 못하는 초겨울까지 멈추지 않을 웃음소리다. 새로 선보인, 미끄럼틀과 미끄럼틀을 연결하는 하늘에 뜬 노랑 원통은 아늑한 공중 아지트로 변해 아이들이 두더지처럼 쏙 들어가 나란히 몸을 기댄다. 두세 살짜리 아이들도 겨우내 이만큼 자랐다는 듯 엄마에게 걱정 섞인 격려를 받으며 낮은 계단을 오르내리기 바쁘다.

"애들은 지치지도 않아. 잠깐 쉬면 회복된다니까."

같은 시간 같은 곳에서 어른들은 무엇을 하고 있을까. 보호자로 나온 어른들은 아이들과 같이 깔깔거리며 놀기도 하고 아이들이 노는 걸 대

견하게 지켜보기도 하고 아이 친구들 보호자들과 이야기를 나누기도 한다. 그러나 내가 놀기 위해 나왔다면 그저 즐겁고 마음이 편했겠지만 보호자로 나온 이상 아이에게서 마음을 놓을 수는 없다.

"이제 들어가자."

"쪼금만 더 있다가."

"너 그러면 내일부터 못 나온다."

"진짜 쪼금밖에 못 놀았다구요!"

날이면 날마다 놀이터의 아이와 어른 사이에 시지프스의 신화처럼 끝나지 않는 신경전이 벌어진다. "들어가자"는 말을 듣고 순순히 따라나선다면 어디 아이들이겠는가. 아이들은 기를 쓰고 놀려고 하고 지친 어른들, 게다가 밀린 집안일이나 저녁을 준비해야 하는 어른들은 한시바삐 들어가고 싶어 한다. 때문에 나도 아이와 신경전이 길어지면 순간적으로 욱할 때가 생긴다. 게다가 올해는 겪지 않으면 알 수 없는 '미운 일곱 살'이라는 무시무시한 복병을 만난다. 대충 예상되는 시나리오는 이렇다.

"서령아, 들어가자. 저녁 먹고 씻어야 해."

"쪼금만 더 놀고."

"들어갈 시간이라니까!"

"내가 왜 꼭 아빠 말을 들어야 하는데!"

"……"

이럴 땐 어떻게 한다지!

유치원을 마치고 매일 같은 시간 5시쯤 아파트 18동 놀이터로 간다. 매일 그 시간이면 아이들이 하나둘 놀이터에 모여 놀았다. 대부분 서령이의 유치원 친구들로 어렸을 때부터 알고 지내는 아이들이 제법 많다. 하늘 높이 그네를 타고 쏜살같이 미끄럼틀을 미끄러지고 한 손 한 손 교대로 봉을 잡으며 구름사다리를 타다 이리 우르르, 저리 우르르 큰 연못의 물고기 떼처럼 몰려다닌다. 노는 아이들에게 결코 멈춤이란 단어는 없는 듯 보였다.

아이들이 놀이의 귀재라면 함께 나온 어른들은 순간 포착의 귀재다. 놀이터 한편에서 삼삼오오 모여 이야기를 하면서도 한 눈은 매의 눈으로 집요하게 자기 아이를 따라다닌다. 그러다 위험 경고등이 켜지자마자 경고 방송을 내보낸다.

"너 거기에 올라가지 말라고 했지. 어서 내려와!"

그날도 그날일 것 같은 어느 날이었다. 그네를 타던 서령이가 갑자기 한 손을 놓고 한 손으로만 줄을 잡았다.

"일곱 살이면 한 손은 놓고 탈 수 있어야 돼."

그래, 진정한 일곱 살이라면. 며칠 후였다. 이른 봄이라 햇살이 비출 때는 따뜻하지만 저녁이 되면 추웠다. 겉옷을 벗고 노는 서령이가 슬슬 걱정되었다.

"서령아. 추워 추워. 옷 입어. 춥다니까."

"안 추워. 아빠는 안 노니까 춥겠지. 난 안 추워."

진정한 일곱 살에게 뒤통수를 세게 얻어맞아 기분이 얼얼했다. 서령이는 보는 것과 실제로 하는 것의 차이를 몸으로 배웠다.

이른 봄도 훌쩍 넘긴 4월 중순쯤이었다. 아이들은 놀이터 한편 모래밭에서 옹기종기 모여 놀고 있었다. 그런데 아무리 봐도 한 아이가 영 눈에 띄지 않았다.

"황희 어디 갔어?"

"저 통에 누워 있어. 병원놀이 해. 약초 구해야 해."

그러고 보니 아이들은 허준이라도 된 것처럼 나뭇잎을 뜯어 찢고 모래를 통에 넣어 약을 만드는 중이었다. 그러고는 황희가 누워 있는 원통으로 쪼르르 뛰어올라가 방금 지은 약을 황희에게 주었다. 이 약이 기적의 약이었던지 죽은 척 누워 있던 아이가 먹는 시늉을 하자마자 벌떡 일어났다.

"이번에는 유나 죽었다고 할까?"

"죽었으면 못 살려. 폐렴 걸렸다고 하자."

"폐렴이 뭔 줄 알아?"

"가슴 붙잡고 쓰러지는 거지. 잘못하면 죽을 수도 있어."

이번에는 아파야 하는 당사사인 유나가 너 이상 기다리다가는 진짜 답답병에 걸리겠다는 듯 나섰다.

"나 무슨 병에 걸렸어?"

"걸리고 싶은 병.

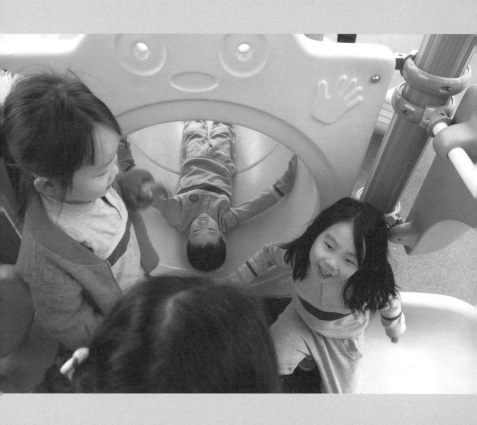

"그럼 나 폐렴."

병원놀이를 하는 아이들은 아무도 지겨워하지 않았다. 오히려 병에 걸린 아이는 진짜 병에 걸렸고 약을 찾는 아이는 진심으로 약을 찾았고 의사는 진짜 의사가 엄두도 내지 못할 정도로 진지했다.

그동안 팔짱을 끼고 몸을 배배 틀고 하품을 하고 있을 때, 나름대로 놀이터와 아이들 놀이를 안다고 으스댈 때 아이들은 그 순간에도 그냥 자기들 방식으로 놀고 있었다. 깜짝 놀랐다. 나도 놀이터에서 아이들처럼 진심으로 놀 수는 없을까, 어차피 지내야 하는 시간인데.

"여기는, 이제 나의 놀이터다."

나는 그 시간이면 그곳에 있는 놀이터 말뚝이가 되어 내가 가장 잘할 수 있고 즐겁게 할 수 있는 일을 하기로 했다. 놀이터에서는 무슨 일이 어떻게 일어나는지 살펴보고 기록하기!

놀이터의 하루

　말뚝이의 놀이터 일과는 단순하다. 아이들을 지켜보다 땀내 나게 같이 놀고 어른들과 수다를 떠는 틈틈이 메모하고 적당한 때에 "이제 들어가자!"를 외치면 일단 마무리다. 그리고 집으로 돌아와 놀이터 일기를 쓰면 하루 끝이다.

　오후 5시, 유치원에서 서령이를 만나면 서령이는 뒤도 돌아보지 않고 경주라도 하듯 백 미터쯤 떨어진 놀이터로 뛰어간다. 늘 아이들 고함소리로 시끌벅적한 곳인데, 유치원을 먼저 마친 서령이 친구들이 놀고 있을 때가 많아 친구들을 만나면 큰 소리를 지르며 펄쩍펄쩍 뛰곤 한다.

　처음에는 몇 년 동안 헤어진 친구 만난 듯한 격한 해후가 도무지 이해가 되지 않았다. 어른들에게는 '또'지만 아이들은 '새롭게' 만난 셈인 것 같다. 그런데 이건 여자 친구들 경우고 남자 친구들이라면 사정이 좀 다르다. 남자 친구들이 나타나면 처음에는 좀 데면데면한다. 같은 유치원을 다니는데도 왜 그럴까 싶기도 했지만 곰곰이 기억을 떠올려 보면 나어렸을 때도 딱 그랬다. 그런데 종종 놀이터에 친구들 그림자마저 보이지 않을 때가 있다.

"난 누구랑 놀지? 언니랑 동생들뿐이잖아. (눈물까지 흘리며) 난 누구
랑 놀아!"

격한 해후를 하거나 장난을 쳐 서로 인사를 하고 나면 아이들은 곧바
로 흐르는 물로 바뀐다. 이곳으로 가면 이 놀이를 하다가 순식간에 저곳
으로 가 저 놀이를 하고 앉아서 이야기하는가 싶더니 어느새 저쪽에서
뛰어다닌다. 아이들은 어디로 튈지 모르는 에너지 덩어리 그 자체였다.
처음에는 이런 아이들을 보고 "어떻게 저렇게 놀 수가 있을까!"라며 혀
를 내둘렀다.

서령이는 놀이터에 들어서면 제일 먼저 그네로 달려간다. 그네는 아이
들에게 최고의 인기를 누려 대개 줄을 서서 기다려야 한다. 줄을 선 아
이들을 보며 '왜 이렇게 인기가 많은 걸까?' 궁금했는데 그네를 타는 서
령이 말속에 답이 들어 있었다.

"아빠, 그네를 타면 하늘을 나는 것 같아. 더 높이 밀어 주세요."

그네는 땅을 박차고 순식간에 하늘 높이 데려다 주는 마법의 지팡이
였다.

그런데 아이들은 어른들이 원하는 것처럼 그네를 안전하게 타려 하지
않는다. 처음에는 앉아서 타고 서서 타다가 둘이 마주보고 타는 바이킹
이나 줄을 꽈서 빙글빙글 도는 꽈배기로 마무리한다. 나중에는 두 명이
같이 타 꽈배기를 한 후 좌우로 그네를 흔들며 타는 복합 기술로 진화

해 "줄을 꼬지 마시오!"라는 경고문을 무색하게 만들었다. 그 순간 그네는 온갖 재주를 부리는 곡예 비행기로 변신했다.

그네에서 몸 풀기를 마치면 곁에 있는 시소로 간다. 평균대처럼 시소 이쪽저쪽으로 걸어 다니거나 친구 여러 명과 양쪽에 타고 올라갔다 내려갔다 하는데, 긴장감이 적어서인지 오래 타지 않는다.

"구름사다리 타러 가자."

한 아이가 외치면 다들 우르르 구름사다리로 달려간다. 방금 전까지 재미있게 놀던 놀이를 칼로 자른 듯 멈추고 달려가는 아이들을 보며 내린 결론은 "역시 재미있게 놀기 위해서라면"이었다. 구름사다리는 아이들에게 특별한 의미가 있다. 이전 놀이터에서는 없던, 새로 설치한 놀이기구로 이제 아이들에게는 새로운 도전과 성취를 인정받는, 일종의 통과의례 수단이다. 두 손을 번갈아 가며 완주한 아이들 표정에는 "나 성공했어요!"라는 자부심이 가득하다. 이때 완주한 아이들에게는 "와, 잘하는데"라는 격한 공감이, 이제 막 두 손으로 구름사다리 봉을 잡기 시작한 아이에게는 "떨어지면 어쩌려고"라는 걱정보다 "와, 이제 잡을 수 있네. 좀만 더 하면 한 손을 놓을 수 있겠어"라는 격려가 필요하다.

다시 만든 놀이터에서 가장 큰 변화는 아지트가 생겼다는 점이다. 아지트는 이쪽 미끄럼틀과 저쪽 미끄럼틀을 연결하는 원통으로 아이들 서너 명이 등을 기대고 들어가 앉을 수 있을 정도인데, 아이들은 순식간에 이곳을 자기들의 비밀 아지트로 만들었다. 둘러보면 놀이터에서 원통은 어른들의 시선에서 벗어난 유일한 곳이다. 이곳으로 들어간 아이들은 누가 먼저랄 것도 없이 수다쟁이로 변신한다. 무슨 얘기를 하나 궁금해 슬며시 다가가면 한소리 듣기 십상이다.

"아저씨, 저리 가세요!"

그러면 어쩔 수 없이 발길을 돌려야 한다.

원통이 밀폐형 아지트라면 놀이기구 아래나 다리 같은 곳은 개방형 아지트다. 겉보기와 달리 막상 그곳에 앉아 보면 마음이 편해서인지 아이들은 이곳에 앉아 이야기를 나누거나 딱지를 친다. 어렸을 때를 떠올려 보면 자기만의, 우리들만의 비밀기지 하나쯤은 있었듯이 지금 아이들 역시 비밀기지 하나쯤은 꼭 필요하다. 놀이터나 집에서나.

아이들, 특히 여자 아이들이 가장 좋아하는 놀이는 역할놀이다. 역할놀이는 두 명 이상 모이면 장소에 구애받지 않고 가능한데, 하루에 한 번은 꼭 한다. "우리 병원놀이 할까, 우리 엄마아빠놀이 할까, 우리 선생님놀이 할까?"로 시작해 "난 의사, 난 환자, 난 엄마, 난 아빠, 난 딸"로 순식간에 역할이 정해지면 바로 그곳은 병원으로, 집으로, 유치원으로 탈바꿈한다.

아이들은 어른들이 생각하는 것보다 훨씬 폭넓게 놀이터를 이용한다. 꽃이 피면 꽃을 따서 꽃다발을 만들고 나뭇가지를 찾아 땅바닥에 그림을 그리고 흙으로 상상 속의 성을 짓다 개미가 줄지어 움직이면 둘러앉아 개미를 관찰한다. 때로는 놀이터를 벗어나 곁에 있는 널찍한 공원으로 뛰어가 논다.

어느 날 놀이터에 핀 개나리꽃을 보고 서령이가 따달라고 해 서령이와 친구에게 개나리꽃을 따주었는데 아뿔싸 아이들이 그만 "하나, 둘…" 하며 꽃잎을 세는 것이 아닌가. 똑같으면 좋으련만 친구 것은 일곱 개, 서령이의 것은 아홉 개였다.

"내가 더 많다."

서령이가 으쓱하며 자랑했다. 이럴 때 작은 걸 가진 아이의 마음이 상할 수 있겠다 싶어 서령이 친구에게 꽃이 많이 달린 것을 꺾어 준 후 서령이를 주려고 비슷한 것을 찾았으나 작은 것뿐이었다. 서령이에게 대충 비슷한 걸로 꺾어 주었는데 이번에는 서령이 얼굴이 일그러졌다. 휙 돌아서서 놀이터 구석으로 가더니 땅바닥에 나뭇가지로 분노의 글씨를 썼다.

"아빠 미워!"

공평하게 해보려다 낭패를 당했다. 이렇게 한 건 그동안의 경험 때문이었다. 놀이터에서 아이들에게 먹을거리라든가 뭔가를 주거나 놀이를 할 때는 공평해야 아이들이 속상해 하지 않는다. 그러나 공평하기가 마음만큼 안 될 때가 가끔 생겨 오해와 낭패를 부르기도 한다.

아이들과 놀다 보면 아이들과 장난이 늘어난다. 한번은 놀이터에 준현이 할머니가 뻥튀기를 가져와 아이들에게 나눠 주셨다. "쩍쩍" 소리를 내며 진짜 맛있게 뻥튀기를 먹는 준현이에게 "쩝쩝" 입맛을 다시며 다가갔다.

"아저씨도 줘. 먹고 싶다."

"안 돼요. 아저씨는 어른이잖아요."

"어른도 먹고 싶어. 그럼 너희들은?"

"우리들은 아기들이잖아요. 아기들 먹는 거예요."

"그래. 그럼 아기들은 '응애 응애' 하고 울어야 하는데."

순간 뻥튀기를 먹던 아이들이 누가 먼저랄 것 없이 애기처럼 울기 시작했다.

"응애 응애!"

이렇게 할 줄 몰랐는데. 이렇게 놀이터의 하루가 지나간다.

또 뭘 하고 놀까

아이들 속으로 어른이 쏙 들어가는 방법은 이게 제일이다. 아무 생각 없이 따지지 말고 아이들과 신나게 놀기!

놀이터에서 눈감고도 할 수 있는 놀이는 '나 잡아 봐라' 즉 괴물놀이다. 이 놀이는 쫓고 쫓긴다는 점에서 인류 역사에서 가장 오래된 놀이가 아닌가 싶다. 별다른 도구가 필요 없고 뛸 수 있는 공간과 지치지 않는 체력만 있으면 된다. 그런 면에서 엄마들은 눈감고 할 수 있는 건 아니고 약간의 의지가 더 필요하다. 이 놀이의 핵심은 얼른 잡는 게 아니라 잡을 듯 잡을 듯 티 나지 않게 안 잡는 데 있다.

"괴물놀이 해요."

아이들이 뭐 하나 싶어 주위에서 어슬렁거리고 있으면 아이들이 먼저 다가와 요정을 한다. 이때 "난 괴물이다. 크아"라고 괴물처럼 외쳐야 진짜 놀이다. 그러면 아이들은 비명을 지르며 물결 퍼지듯 계단 위로, 그네 뒤로, 화단으로 달아난다. 한 아이를 따라가다 "아저씨 왜 나만 따라와요!"라며 따지듯 물으면 얼른 다른 아이로 목표를 바꾼다. 아이들이

힘센 괴물과 맞서려면 안전지대가 필요한데, 아이들이 "아저씨 여기는 못 와요"라고 외치는 곳이 그곳으로 주로 손이 닿기 어려운 놀이기구 위일 때가 많다. 어른은 올라가지 못하고 소리를 지르며 손만 올려 내젓는데 어쩌다 어른 팔이 아이들 몸에 닿으려는 순간 아이들은 "악" 하고 비명을 지르며 사정없이 손을 친다. 하루 세끼 먹는 밥처럼 매일 해도 질리지 않는 게 신기하다.

그러나 매일 괴물놀이만 하기에는 어딘지 허전해 '뭐 새로운 게 없을까' 고민하다 '도레미 시소놀이'를 만들었다.

"얘들아 시소 타자. 어서어서 모여라!"

내 앞에 한 명, 맞은편에 두 명이 앉았다. 처음에는 올라갔다 내려갔다만 했는데 뭔가 심심했다. 그렇다면 학교 다닐 때 배운 가속도의 법칙과 작용반작용의 법칙을 이용하자. 몸무게가 많이 나가는 내가 높이 올라갔다 힘껏 내려가면 맞은편 아이들은 물방울처럼 튀어 올랐다. 엉덩이가 폴짝 공중으로 솟아오른 아이들은 흥분해 소리를 질렀다. "꺅." 순간적으로 중력을 이기고 하늘을 나는 기분이 들었을까.

"아저씨 또 튀겨 주세요."

누가 들으면 튀김집인가 싶겠지만 아이들이 하늘을 뚫을 것처럼 비상하는 그 순간을 일컫는 말이다. 말 등에서 뛰어오르는 로데오 경주 같다. 이제 "괴물놀이 해요"와 다음으로 "튀겨 주세요"는 아이들이 좋아하는 놀이 메뉴 목록에 올랐다. 하지만 이 놀이는 여기에서 그치지 않아 머리에서 번쩍하며 또 스파크가 일어났다.

"애들아. 도 해봐. 그러면 낮게. 레 하면 조금 더 높게, 미 하면 더 높이 올라갈게."

아이들이 "도"라고 합창하면 가장 낮게, "레" 하면 도보다 살짝 강하게, 이렇게 아이들 합창에 맞춰 점점 강하게 튀기다 마지막 "도"라고 하면 시소는 가장 높이 튀겨 올라 절정에 오른다. 바이킹 끝자리가 명당인 것처럼 시소 끝자리가 명당이어서 내 자리만 빼고 아이들은 자리를 바꿔 가며 쉬지 않고 탔다. 횟수가 거듭될수록 엉덩이가 아파진다는 점만 빼면 효과 만점이다. 나와 아이들은 '도레미 시소'의 창시자이지만 따지고 보면 새로운 놀이가 아니라 이미 옛날부터 있었다. 널뛰기가 이 놀이의 원조랄까.

아이들과 놀다 보니 새로운 도구가 눈에 띄면 저것으로 뭘 할 수 있을까 고민하는 버릇이 생겼다. 그날은 서령이가 유치원에서 만든 곰 모자를 보자 저걸 쓰고 놀면 재미있지 않을까 싶었지만 한편으로 다 큰 어른이 뭐 하나 싶기도 하고 너무 오버하는 것 같아 일단 참아 보기로 했다. 그러다 언제 또 해볼 수 있을까 싶어 곰 모자를 푹 눌러 쓰고 먹이를 찾아 헤매는 곰처럼 놀이터 곳곳을 배회했다. 그런데 이상한 건 곰 모자를 쓰니까 마치 곰처럼 보이고 싶어 한다는 점이다. 형식이 내용을 규정한다더니 딱 그렇다.

"아저씨는 곰이다. 너희들 잡으러 왔다."

아이들은 진짜 곰이 눈앞에 나타난 것처럼 비명을 지르며 달아났고 그럴수록 재미있었다. 아이들이 분홍 보자기를 걸치면 슈퍼맨이 되고 엘사 옷을 입으면 엘사가 되는 건 유치해서가 아니라 자연스러운 일이라는 게 곰 모자 놀이 끝에 내린 결론이었다. 엄마들도 놀이터에 나갈 때 한번쯤 캐릭터 모자 쓰고 캐릭터처럼 행동해 보시길.

한번은 서령이가 실습을 마치고 떠나는 유치원 선생님에게 선물로 받은 색연필을 자랑했다. 그런데 막상 그림을 그리려니 마땅한 종이를 찾기 어려웠다.

"아빠, 종이 없어?"

"응. 집에서 가져올까?"

집에서 뒷면이 깨끗한 포스터와 A4 용지와 색연필을 챙겨 왔다. 아이들에게 종이를 나눠 주자 아이들은 스스럼없이 놀이터 바닥에 철퍼덕 앉아 그림을 그렸다. "더러운 바닥에 앉다니!" 하고 얼굴을 찌푸릴 사람도 있겠지만 이것저것 따지면 놀 수 있는 게 얼마나 될까. 그림을 그리다 "나 갈색 필요한데"라면 갈색 색연필이 있는 친구가 그 친구에게 빌려주어 색연필은 아이들 손을 부지런히 돌고 돌았다.

"아빠도 그려."

쭈그리고 앉아 아이들 그림을 감상하고 있는데 이렇게 재미있는 걸 왜 안 하냐고 서령이가 말했다. 뒤통수 한 대 맞은 기분으로 구경꾼에서 화가로 변신해 그림을 그리는 아이들을 그리기 시작했다. 아이들은 아이

들대로, 나는 나대로 그림을 그리고 있자 놀이터에 있던 할머니, 할아버지, 엄마들이 뭐를 하나 궁금해 곁으로 몰려들어 순간 당황했다. 내 그림은 얼굴은 고사하고 손도 제대로 못 그려 남자와 여자를 구별할 수 있을 딱 그 정도였기에. 어쨌든 최선을 다해 그림을 그리고 자랑스럽게 서령이에게 보여 주었다.

"안 닮았잖아."

"최선을 다해 그린 거야. 황희야, 그림에서 황희 찾아볼래."

갑자기 지목 당한 황희는 내 그림에서 자기를 찾지 못하자 갸우뚱거리며 "없잖아요"란다. 이 말을 들은 서령이가 "우리 아빠는 화가가 아니잖아!"라며 이번에는 아빠 편을 들었고 황희는 내가 그린 자기 얼굴에 힘껏 엑스표를 쳤다. 그러자 다른 아이들이 너나 할 것 없이 달려들었고 게다가 방금 전까지 열렬히 아빠를 옹호하던 서령이까지 달려와 자기 얼굴에 엑스표를 그었다. 자기 얼굴을 찾아 엑스표 긋는 걸 보니 다들 자기 얼굴은 알아보는 거였다.

얼추 그림이 마무리되자 이번에는 종이비행기를 만들었다. 종이비행기 날리기는 예나 지금이나 기분 좋은 놀이다. 아이들이 던진 비행기가 하늘로 올라가자 아이들이 흥분해서 입으로, 몸으로 말했다.

"내 비행기 저만큼 날아갔어요."

내 비행기는 포스터로 만든 대형 비행기였는데 다른 아이보다 더 멀리 날리고 싶었던 서령이가 달라고 졸랐다. "서령이 타고 날아도 되겠네"

라는 말을 들은 서령이가 우주로 날려 보낼 기세로 날렸지만 그만 코앞에서 뚝 떨어지고 말았다. 이번에는 내가 던지자 꽤 멀리 날아갔는데 아뿔싸 아이들이 그만 이 장면을 목격한 것이다.

"내 것도 날려 주세요. 내 거 먼저요."

내 뒤로 순식간에 줄이 늘어섰고 어쩔 수 없이 줄 선 순서대로 있는 힘껏 비행기를 던지기 시작했다. 그런데 줄은 줄어들지 않고 무한 반복이어서 급기야 팔이 빠지기 일보직전까지 몰렸다. 우선 살고 봐야겠다.

"얘들아, 우리 한꺼번에 던져 볼까?"

"신발던지기처럼 말이에요?"

놀이터에 일렬로 선 아이들이 "하나 둘 셋" 소리와 함께 한꺼번에 비행기를 던지자 비행기들이 한꺼번에 놀이터 하늘로 날아올랐다. 하늘을 덮은 비행기를 본 아이들이 또 흥분해 소리를 질렀다. 다시 일렬로 서서 비행기를 몇 번 날리다 여자 아이들은 비행기를 꾸민다고 탁자로 가서 비행기에 그림을 그리고 남자 아이들은 여전히 비행기를 날렸다. 그런데 한 아이의 비행기가 계속 다른 아이의 비행기보다 멀리 날아가지 않자 그 아이는 그만 풀이 죽었다. 좋은 방법이 없을까?

"이번엔 아저씨가 비행기 날려 볼게."

그러고는 진짜 비행기라도 날릴 듯 엄청 크게 폼을 잡다가 뒤로 날렸다. 그 순간 풀이 죽었던 아이는 거꾸로 날아간 어른 비행기를 보더니 자지러지게 웃었다.

"아, 거꾸로 날아갔네!"

내일은 또 뭘 하고 놀지?

놀이터의 어른들

　놀이터에는 네 개의 크고 작은 파가 있다. 화단파, 파고라파, 유치원파, 그리고 독립파.

　화단파와 파고라파는 어림잡아 3시에서 5시 사이에는 놀이터에 나타난다. 화단파는 주로 놀이터를 둘러싼, 붉은색 벽돌로 쌓은 앉기 좋은 화단벽에 모여 앉는다. 화단벽은 비록 딱딱하지만 놀이터가 한눈에 보일 정도로 시야가 넓다. 반면 파고라파는 지붕, 탁자, 의자가 잘 갖추어진 파고라에 모이는데, 빙 둘러 이야기 나누기에 적당하다. 이 두 파가 등장한 후 5시가 되면 드디어 내가 속한 유치원파가 등장하는데, 이들은 앉기보다는 서 있는 걸 좋아한다. 마지막으로 독립파는 어느 파에도 속하지 않은 사람들로 자유롭게 나타났다 조용하게 사라진다.

　네 개 파의 한 가지 공통점은 아이들과 함께 나타났다 아이들과 함께 사라지는 어른들이라는 점이다. 엄마, 할머니, 가끔은 아빠와 할아버지가 이들이다.

　각 파의 문화는 조금씩 다르다. 유치원파는 이름에서 짐작할 수 있듯 아이들이 모두 같은 유치원을 다닌다. 주요 멤버는 할머니 세 명, 엄마 두 명, 아빠 두 명으로 놀이터에서는 보기 드문 조합이다. 아빠 두 명은 아이들이 다섯 살부터 만났으니 2년이 넘었고 할머니 한 분은 아이가 막 걸음마를 배웠을 때부터 알았다. 제법 역사가 길다.

"안녕하세요. 나오셨어요."

멀리서 얼굴이 보이면 동료를 만난 듯 웃음이 나온다. 그날 얼굴이 보이지 않으면 무슨 일이 생겼나 싶다. 아이들은 아이들끼리 놀고 어른들은 아이들이 잘 보이는 곳에 서서 이야기를 나눈다. 주로 할머니들과 엄마들이 이야기를 주도하고 아빠들은 "아, 그렇죠"라며 맞장구를 친다. 아이 돌보는 일이 힘에 부친다고 하시면서도 할머니들은 손주들을 다른 사람 손에 맡기는 것보다 본인들이 돌보는 게 마음이 놓이신단다. 그래서 그런지 할머니들 가방에는 떡, 과일, 과자 등 손주들 먹일 게 늘 담겨 있어 가방을 열면 아이들이 병아리처럼 줄줄이 모여든다.

그럼 아빠들은 어느 때 활약을 할까? 이들의 장기는 아이들과 신나게 놀기다. 나는 아이들과 뛰는 것을 좋아하는데 특히 아이들을 잡으러 다니는 괴물놀이를 잘하고 다른 아빠는 힘과 운동신경이 좋아 두 팔에 아이들을 주렁주렁 매달 수 있다. 특히 그네를 순간적으로 밀어 줄 때 아이들의 표정은 우주여행을 떠나는 듯하다.

"황희 아빠, 또 밀어 주세요! 힘차게, 신나게!"

아빠는 힘들어도 아이들은 즐겁다. 아빠들 역시 한자리에 가만히 있는 것보다 뛰어다니고 땀을 흘리는 게 편하고 그럴 때면 뭔가 한 듯 뿌 듯한 기분이다.

아빠 멤버가 없는 다른 파들은 어떨까? 내게 관심의 대상은 파고라파 다. 엄마 대여섯 명이 탁자에 빙 둘러앉아 십 분이 지나나 이십 분이 지 나나 한 시간이 지나나 그 자세로 앉아 있는 파고라파를 보면 정말 경이 롭다. 이 자세로 그들은 쉼 없이 이야기를 나누는데 세상의 모든 일이 입도마에 오른다.

그날도 동네 미용실 품평으로 한창 토론이 벌어질 때였다.

"바퀴벌레야!"

이 소리에 그렇게 빨리 반응할 줄은 진짜 몰랐다. 물정 모르는 바퀴벌 레 한 마리가 그만 의자 주변을 얼쩡거리자 엄마들은 빛의 속도로 일어 나 뛰어가고, 의자 위로 다리를 올리는 등 한바탕 난리가 났다. 마침 곁 에 있던 할아버지가 바퀴벌레를 잡으며 사태는 가까스로 진정되었다. 그 러자 이번에는 그 바퀴벌레가 입도마에 올랐다. 약을 뿌려서 잡는다, 따 라가면서 약을 뿌린다, 두꺼운 책 아래에 휴지를 깔고 바퀴벌레 위에서 그대로 떨어뜨린다는 등 경험에서 우러나오는 이야기들이 탁자 위로 한 바탕 펼쳐졌다.

"위험해. 다쳐. 하지 마!"

바퀴벌레 이야기에 쏙 빠진 줄 알았는데 한 엄마가 원통 위로 올라간 자기 아이를 보자마자 소리를 질렀다. 아이유의 3단 고음 정도는 가뿐

히 넘을 것 같았다. 이건 거의 본능적이라고 할 수밖에. 이야기를 하는 중간중간에 끊임없이 아이들을 체크한다. 이번에는 한 아이가 넘어져 울기 일보직전이었다.

"우리 집 가훈이 뭐라고? 넘어져도 다시 일어나잖아!"

반쯤은 아이에게, 반쯤은 다른 엄마들에게 '이 정도는 여유지'라는 듯 웃으며 말한다. 파고라파는 6시가 넘으면 "시간 다 됐다. 학원 갈 시간이야"라거나 "1분 남았어. 1분 남았어"라며 카운트다운에 들어간다. 엄마들이 떠난 탁자 위로 알코올처럼 소리들이 증발한다.

수다 삼매경에 빠진 엄마들에게 놀이터는 어떤 의미일까, 라는 질문을 종종 던진다.

"박물관 다닐 때 보면 아이들을 데리고 온 엄마들이 많아요. 그런데 이상한 게 아이들은 관람을 하라고 들여보내면서 엄마들은 들어가지 않고 커피 마시고 수다를 떠는 거예요. 그때는 어이가 없었죠. 그런데 아이를 키우다 보니까 엄마들의 수다가 이해되더라고요. 이때가 엄마들에게는 쉬는 시간이니까."

"이제 이해가 되시죠?"

이야기를 나누던 할머니가 빙그레 웃으며 반문한다. 아침 먹고 아이를 유치원이나 학교에 보내면 기다리는 건 집안일. 청소하고 빨래하면 점심. 점심 먹고 나면 아이가 유치원에서, 학교에서 돌아올 시간이다. 집안 살림이라는 게 별일 아닌 것 같지만 늘 바쁘게 돌아간다. 커피 한 잔 마시며 수다를 떨면 좋겠는데. 놀이터에 나가면 향기 좋은 커피는 없지만 이야기 나눌 사람이 있다. 아이가 놀이터를 떠나 집으로 들어가는 순간 곧바로 밀린 집안일을 시작해야 하니 이 시간이 더 소중할 수밖에. 그러나 전적으로 쉬는 시간이라고 하기는 매우 어렵다. 어느 순간 아이에게 무슨 일이 일어날지 모르니까.

그래서 그런지 놀이터에서는 소리 삼종 세트가 자주 들린다.

"하지 마, 내려와, 위험해!"

아이가 그네 앞으로 갈 때도, 구름사다리를 건너려고 올라갈 때, 머리를 아래로 하고 미끄럼틀을 탈 때 이런 일이 많다. 이럴 때 "다 그러면서 크는 거야!"라고 생각하는 아빠들과 입장 차이가 생긴다. 대체로 아빠들은 위험해 보이지만 시도를 해봐야 한다고 믿는다.

"원통에 올라가도 돼? 엄마가 올라가지 말라고 했잖아."

이렇게 물어보면 아이들은 요롷게 답한다.

"괜찮아요. 엄마 없을 때만 올라가요."

아이들이란.

엄마들 어렸을 땐 무슨 놀이를 했을까? 아마 아빠들과 달리 격하고 힘쓰는 놀이를 적게 했을 것 같다. 그때는 동네 형, 오빠, 언니들이 놀이 선생님이자 친구들이었다. 세월이 흘러 언니 오빠들은 사라지고 그 자리에 보호자인 엄마가 있다. 보호자로 나온 이상 엄마들은 아이에게 닥칠 위험을 하나라도 줄이려고 오늘도 고군분투하고 있다.

나뭇가지의 변신

놀이터 한쪽 하늘이 쫙 잘려 나갔다.

며칠 전 엘리베이터에 낯선 공고가 붙었다. 놀이터에 있는 느릅나무에 여름이면 벌레가 많이 생겨 가지치기를 한다고 했다. 그날이 오늘이다.

몇 해 전 여름부터 이 나무는 까만 벌레의 진원지로 깊은 의심을 받았다. 길이 2~3센티미터 정도 될까, 꿈틀거리며 기어 다니던 까만 벌레들은 놀이터에만 있는 이 나무만 좋아해 한창 때는 발을 옮길 때마다 밟힐까 조마조마할 정도였다. 약을 뿌려도 아랑곳하지 않다 보니 어쩔 수 없이 가지를 싹둑싹둑 잘라 버려야 했다. 오늘 벌레와 나뭇가지를 바꿨다.

잘린 나뭇가지는 공원 한구석에 아무렇게나 쌓였다. 큰 나무 네 그루를 가지치기 했으니 그 양이 제법 많다. 굵기는 제 각각이어서 두 손으로 움켜쥐어야 할 정도부터 새끼손가락 정도까지 여러 가지다. '이 나무로 뭔가 할 수 있을 것 같은데.' 다시 고민이 시작되었다. 그때 매서운 겨울날 나이테를 세다 병에 걸려 죽었다는, 미국의 작가 헨리 데이비드 소로

우가 떠올랐다. 그래 바로 이거야. 아까부터 그네 탈 순서를 기다리던 서령이를 불렀다.

"서령아, 여기 좀 봐. 둥글둥글하지. 나무가 나이를 먹었다는 뜻이야."

"나도 알아. 나이테."

서령이는 건성으로 대답하고는 마침 비어 있는 그네로 쌩하니 달려갔다. 아무래도 나이테보다는 그네가 먼저겠지. 그렇다면 나 혼자 세야지. 하나 둘 셋…. 친구들을 만난 서령이는 그네, 시소, 미끄럼틀을 타고 이리저리 왔다갔다 쉴 새 없이 뛰어다녔다. 세상에서 가장 미스터리한 게 저렇게 뛰어다니는 아이들이다. 그러나 미스터리는 여기서 끝이 아니다. 그렇게 몇 시간을 논 아이에게 이제 집에 가자고 하면 씩씩거리며 항의한다.

"조금밖에 못 놀았는데."

조금이 사람마다 이렇게 다른지 전에는 미처 몰랐다.

정작 나무에 관심을 가진 건 아이를 데리고 나온 할머니들이었다.

"이 나무껍질이 몸에 좋대요."

잰 손길로 나무껍질을 벗기던 한 할머니가 말했다. 그렇다면 나도 빠질 수 있나. 껍질이 줄기에서 쭉 벗겨지는 느낌이 좋았다. 벗긴 껍질은 할머니 드리고 또 몇 개는 따로 챙겼다. 약에 쓰려는 건 아니고 잘 말리면 아이들 이름을 쓸 수 있는 기념품이 되겠다 싶었다. 그러나 껍질 몇 개 벗기고 이대로 두기에는 나무가 너무 아까웠다. 바로 그때 긴 나뭇가

46

지가 눈에 들어왔다. 드디어 감이 나를 찾아왔다.

"얘들아. 낚시놀이 할까?"

"좋아요!"

서령이와 친구들이 뭔가 싶어 순식간에 우르르 모였다. 일단 성공. 이제 '이 아저씨가 뭘 하려고 하지'라는 호기심에 찬 눈빛을 보내는 아이들의 기대에 부응할 차례다.

"낚싯대 만들어 줄게."

가늘고 긴 나뭇가지를 적당히 잘라 낚싯대를 완성했다. 이제 필요한 건 하나, 낚시터다. 다행히 놀이터 한구석에 네모난 연못이 있었다. 진짜 연못은 아니고 네모난 상상의 연못이다. 아무럼 어떤가. 연못 이전에는 상어가 헤엄치는 바다여서 내가 상어가 되면 아이들이 상어를 피해 바다를 건너뛰곤 했다. 그 전에는 도둑놀이를 할 때 어른들을 가두는 감옥이었고, 그 전에는 거꾸로 아이들이 이곳으로 들어가면 어른들이 잡을 수 없는 아이들의 안전지대였다. 그냥 네모난 흙바닥일 뿐인데 날마다 새롭게 변신을 거듭했다.

마침 아까 몇몇 남자 아이들과 연못놀이를 했을 때 그린 물고기가 아직 그곳에 남아 있었다. 그런데 아이들은 그림 물고기에 낚싯대를 몇 번 드리우더니 시큰둥했다. 어, 왜지? 움직이는 물고기라도 기대하는 걸까.

"얘들아, 물고기 그림 대신에 작은 나무 가져와서 물고기라고 할까?"

말이 끝나자마자 아이들은 기다렸다는 듯이 작은 나무막대기를 찾아

연못에 휙휙 던졌다. 그렇게 연못을 하나하나 채우고 있는데 어디선가 고함소리가 들렸다.

"지저분하게 하지 마!"

지나가던 덩치 좋은 경비 아저씨다. 나는 깜짝 놀랐고 아이들은 움찔 하더니 얼음땡이 되었다.

"다 놀고 치울 거예요. 얘들아 괜찮아. 마저 하자."

아니, 어른들이 곁에 있는데 저렇게 소리를 지르다니. 아무래도 뒤처리는 아저씨가 해야 한다는 짜증 때문인 것 같기도 하고 곁에 있는 철없는 어른 들으라고 일부러 그러는 것 같기도 하고 아니면 아이들이 소리지르며 노는 게 보기 싫어서 그런 것 같기도 하고.

다시 낚싯대를 드리워 나무 물고기를 이리저리 건드리는 아이들. 그러나 이리 밀고 저리 밀어도 할 수 없는 한 가지는 낚아 올리기였다. 낚시의 묘미는 잡아 올리는 그 순간인데 어떻게 하면 좋을까. 이제는 낚을 수 있는 물고기가 필요했다. 그런 물고기를 원하면 내가 물고기가 되자.

"어, 맛있는 거다. 어서 먹어야지."

나는 연못으로 뛰어들어 진짜 물고기가 미끼를 무는 척 연기했다. 그럴수록 아이들은 흥분해 소리를 지르고 있는 힘껏 뒤로 잡아당겼다.

"으응, 안 갈 거야!"

이때 중요한 건 리액션이다. 이 순간만큼은 난 〈노인과 바다〉에 나오는 펄떡거리는 그 물고기다. 아이들은 진짜 고기를 잡는 것처럼 진지했다.

"잡았다!"

그 순간 아이들은 에베레스트라도 올라간 듯 기뻐했다. 그런데 문제는 아이들은 네 명이고 난 혼자라는 사실이었다. 순서가 골고루 돌아가게 하려니 바쁘고 지쳐 이럴 때면 나이든 아빠라는 걸 실감했다. 그때 벗겨진 나무껍질이 눈에 들어왔다.

"아싸 얘들아. 아저씨가 진짜 물고기 만들어 줄까?"

아이들 낚싯대에서 껍질을 벗긴 후 그 껍질을 8자로 엮어 직접 낚을 수 있는 물고기를 만들었다. 한 마리 만들어 휙 던지면 아이들은 8자 물고기를 들어 올렸다. 이때 먼저 고기를 잡은 아이가 또 잡으려고 달려왔다.

"내 차렌데 얘가 잡으려고 해요!"

이러면 안 되지. 전에도 기회를 놓친 아이들이 분해서 우는 모습을 많이 봤다. 아이들은 잡은 물고기를 동그란 그림 안으로 툭 던져 넣었고 어느새 그곳은 나무껍질 물고기로 가득 찼다. 다들 뿌듯한 얼굴이다. 잡은 물고기를 보던 한 아이가 외쳤다.

"구워 먹어야지."

"불 피우자."

물고기였던 작은 나무들은 이내 장작으로 변신했다. 아이들의 상상력은 끝이 없었다. 이렇게 물고기 위에 장작이 수북하게 쌓였다.

"이렇게 어떻게 구워! 장작을 깔고 그 위에 물고기를 구워야지."

다시 아이들은 옆으로 장작을 옮기고 그 위에 8자 물고기를 올리고 불을 붙이는 흉내를 냈다. 어떻게 먹을까 궁금해 하는 순간 한 아이가 소리쳤다.

"그네 벘다."

애써 마련한 장작 위 물고기는 뒷전이고 다들 그네로 한꺼번에 달려갔다. 아이들이란 방금 전까지 열광을 하다가도 금방 다른 것에 눈길이 가면 이전 것은 아주 까맣게 잊었다. 아이들은 바로 지금, 바로 여기에 산다.

이로써 한바탕 낚시 소동이 끝났다. 신나게 그리고 잘 놀았다. 아이들도 그랬겠지, 그랬을 거야. 이렇게 노니 가지 잘린 느릅나무에게 덜 미안했다.

그러고 보면 아이들이 있는 바로 그곳이 놀이터고 아이들이 보는 바로 그것이 놀잇감이었네.

몸이 기억하는 놀이

불현듯 검정 고무줄놀이가 떠올랐다. 놀이터의 놀이기구를 벗어난 아이들이 보고 싶었고, 이왕이면 요즘 아이들이 할 기회가 드문 옛 놀이를 하면 어떨까 했고, 그중에서 여자 아이들이 "저녁 먹어라"라며 엄마가 부를 때까지 발을 놀리던 고무줄놀이라면 딱이겠다 싶었다. 어쩌면 엄마나 할머니들은 이 놀이를 기억하고 있지 않을까.

"고무줄 사러 가자."

어린이날 검정 고무줄을 찾아 가족이 동네를 헤맸다. 마트에도, 없을 것 없는 만물상에도 보이지 않아 물어물어 재래시장에서 겨우 발견했다. 고무줄을 기분 좋게 들고 곧바로 공원으로 달려가 고무줄놀이를 기억하고 있는 아내에게 고무줄놀이를 배웠다. 태어나서 고무줄놀이를 한 적이 있던가? 마음 따로 몸 따로 고무줄 따로, 모두 따로 놀았다. 처음이고 더구나 발이 마음대로 올라가지 않아 줄곧 고무줄에 걸렸지만 땀 흘려 가며 깔깔거리는 사이 놀이의 재미에 쏙 빠졌다.

며칠 후 유치원을 마치고 놀이터에서 친구들과 놀던 서령이가 갑자기다가왔다.

"아빠, 고무줄 갖다 줘. 고무줄놀이 하게."

헐레벌떡 고무줄을 들고 와 놀이터에서 고무줄 맬 곳을 찾아 이리저리 헤맸지만 마땅한 곳이 없었다.

"아빠, 공원에서 하면 되잖아."

"맞다. 공원으로 가면 되지."

놀이터에 있던 엄마와 할머니들에게 말했다.

"고무줄 맬 곳이 적당치 않아 공원으로 가야겠어요."

"얘들아, 공원으로 가자."

아이들은 말이 끝나기 무섭게 우르르 공원으로 뛰어갔고 나는 적당한 나무를 골라 고무줄을 매었다. '이렇게 하는 건가, 아니 저렇게 하는 건가?'라며 아내가 가르쳐 준 놀이를 떠올리려고 애쓸 때 할머니와 엄마들이 옛 추억이 떠오른 듯 상기된 얼굴로 다가왔다.

"고무줄 보니까 애들보다 어른들이 더 좋아하네."

"고무줄을 머리 위로 올리고 그랬는데, 어떻게 그렇게 높이 했는지 모르겠어요."

아무래도 네 명이 하기에는 고무줄이 짧아 집에서 더 가져와 삼각형으로 걸었다. 이때 몸이 먼저 반응한 어른들이 스텝을 밟았다.

"금강산 찾아가자 일만 이천 봉…."

노래를 부르며 아이들에게 스텝을 알려 주셨다. 스텝을 밟으며 노래를

따라 하던 서령이가 이상하다는 듯 물었다.

"아빠, 산이 일만 이천 개야?"

"응."

그러더니 고무줄놀이는 뒷전이고 우뚝 멈춰 선 아이들이 함께 산 이름을 하나씩 말하기 시작했다.

"지양산, 원미산, 신정산… 다섯 개나 알아!"

산을 다섯 개나 아는 아이들은 뿌듯한 얼굴로 다시 고무줄놀이를 시작하는데 고무줄이 감기기도 하고 고무줄을 제대로 밟지 못하기도 하면서 줄기차게 놀았다. 처음 해보는 놀이에 점점 지치자 아이들은 어른들의 제안대로 기차놀이를 시작했다. 아이들이 모두 고무줄 안으로 들어가자 서정이가 맨 앞에서 기차를 몰았다. 어느새 근처 흙 언덕에서 미끄러져 내리기에 정신이 없던 준현이가 합승했고 동생인 서현이도, 준현이 할머니도 고무줄 기차를 탔다. 세대를 함께 묶은 고무줄 기차는 종횡무진 숲을 누볐다.

"기찻길 그리자."

어제 비가 오긴 했지만 금이 잘 그려지지 않아 아이들이 기찻길을 만들기는 쉽지 않을 것 같았다.

"아빠가 그려 줄게. 얼마나 크게 그릴까?"

그런데 서령이가 손가락으로 가리킨 것은 얼핏 봐도 지름이 50미터가 훌쩍 넘는 원이었다. 굵은 막대기를 잡고 있는 힘껏 땅바닥에 금을 그으며 트랙을 도는 육상선수처럼 달렸다. 중간에 몇 번씩 쉬었고 다 그렸을 때는 다리가 후들거려 살짝 건드려도 쓰러질 것 같았다.

"아이 힘들다!"

그래도 숲으로 이어진 둥근 기찻길로 아이들이 달릴 생각을 하니까 기분이 좋았다. 그런데 그것이 끝이 아니었다. 한 줄로 그은 기찻길을 본 서령이는 뭔가 아쉬운 듯했다.

"한 줄 더 그려 줘."

휴~ 진짜 철길처럼 두 줄로 그려 달란다.

"아니 그건 못한다. 그냥 달려!"

기찻길을 따라 한 바퀴 돈 아이들도 뭔가 아쉬운 모양이었다.

"기차역 있으면 좋겠다."

그래 뭐 그 정도쯤이야. 출발 지점에 동그라미를 그렸다.

"기차역 이름 지어 볼래?"

서령이는 쌩쌩역, 준현이는 서울대공원역, 유나는 제주도역, 유빈이는 미국역으로 이름을 지었다. 쌩쌩역을 지나 바다 건너 제주도로, 다시 미국까지 가기 바빠서였는지, 아니면 질주 본능 때문인지 맨 앞에 기관사 역할을 맡은 아이는 뒤도 돌아보지 않고 냅다 내달렸다. 그러면 뒤에서 따라가지 못한 아이들의 볼멘소리가 여기저기서 튀어나왔다.

"너무 빨리 가잖아. 천천히 가. 역에 안 섰잖아. 서야지. 나 내리는데."

막내인 서현이는 언니 오빠들 발걸음을 따라가지 못해 고무줄 기차는 점점 오뉴월 엿가락처럼 길게 늘어졌다. 그럴 때면 준현이 할머니가 속도를 조절하기 위해 외치셨다.

"이번 기차역에서 내려요."

한번은 제주도역에서 준현이 할머니가 내리시자 유나가 "유아람 만나려고요?"란다. 유아람은 작년에 제주도로 이사 간 유치원 친구다.

누구나 하고 싶어 한 맨 앞에 있는 기관사는 기차가 한 바퀴 돌 때마다 순서대로 역할을 맡았다. 처음에는 정차할 역을 무시하고 그냥 쌩쌩 달리던 아이들이 점차 역에도 잘 섰고 나중에는 안내방송까지 들려주었다.

"이번 역은 대공원역입니다. 내리실 분은 내려 주세요."

"내릴 거예요."

"출발합니다."

돌고 돌던 고무줄 기차도 점점 느려지다 유림이가 과자를 들고 왔을 때 완전히 멈췄다.

"서령이 아저씨, 내일 고무줄 가져와요."

"덕분에 재미있게 놀았어요."

고무줄 하나로 이렇게 놀 수 있다니. 그러나 그것보다 더 놀라운 건 어릴 때 놀았던 기억을 수십 년이 지난 지금까지 몸이 기억한다는 것이었다.

친구들아 어디 있니

"친구들아 어디에 있니? 이 소리가 들리면 어서 나와 주겠니?"

서령이가 다섯 살 무렵 공원에서 친구들을 찾으러 다닐 때 지은 노래다. 그날따라 놀이터나 공원에 그 많던 친구들은 그림자도 보이지 않았다. 그때 서령이를 목마 태우고 공원 곳곳을 다녔었고 시간이 지나면서 어깨가 아파오자 덩달아 내 마음도 서령이의 마음처럼 간절해졌다.

"서령이 친구들아. 제발 한 명이라도 나오렴. 이러다간 내 어깨 빠지겠다."

이 일을 겪고 나서 한 가지 깨달았다. 아이들이 친구를 찾는 건 본능이란 걸.

유치원을 마친 서령이는 내게 가방을 휙 던지고는 잰걸음으로 가다 뛰다시피 놀이터로 발걸음을 옮겼다. 아이 등에서 친구들을 찾으러 가는 설렘과 흥분이 보였다. 뛰어가다 가끔 아빠가 잘 따라오는지 힐끗 뒤돌아보고는 다시 달려갔다.

"유나야!"

"서령아!"

이산가족을 만나는 듯하지만 불과 두어 시간 전까지만 해도 같은 유치원에 있었다는 게 믿기지 않을 정도로 아이들의 해후는 격렬했고 감격스러웠다. 같이 놀 친구를 만났다는 안도감, 이제 신나게 놀 수 있다는 설렘 때문이었을까? 하기야 어른인 나 역시 친구들을 만나면 얼마나 반가운데.

하루에 한 번씩 격한 해후를 하던 어느 햇살 따가운 날이었다. 그날따라 한낮의 놀이터에는 친구는 물론 다른 아이들 그림자조차 보이지 않았다. 이런 날 아이는 좀 시무룩하다. 그네를 타면서 연신 사방으로 고개를 돌려 혹시 아는 친구가 지나가는지 유심히 살펴보았다. 별 소득이 없자 일단 따가운 햇살을 피해 저녁에 다시 나오기로 하고 집으로 철수했다.

한번은 한낮에 친구와 놀다 뜨거워지자 다섯 시에 다시 나오자고 약속을 하고는 들어간 적이 있었다. 집으로 돌아온 서령이가 낮잠을 자기 전 나에게 꼭 다섯 시에 깨워 달라고 부탁했고 그 친구는 알람을 맞춰 달라고까지 했단다. 친구랑 놀기 위한 아이들의 의지는 엄마 아빠를 놀래킨다.

집으로 돌아온 서령이는 피곤했는지 스르르 잠이 들어 두어 시간쯤 잤다. 간식을 먹고 나자 일곱 시였다.

"일곱 시가 넘었네. (놀이터에) 친구들은 없겠지."

배가 든든해지자 다시 놀 마음이 든 서령이가 아쉽고 궁금한 듯 말했다.

"그런 것 같은데. 일단 (놀이터로) 나가 볼래?"

'아이들이 진짜 있겠냐. 간단히 바람이나 쐬자'라는 가벼운 마음이었다. 집을 나서자 이미 날은 어두워졌다. 그런데 놀이터에 가까이 갈수록 불안한 소리가 커져 갔다. 놀이터에서 노는 아이들 소리였다. 내 예상은 한참 빗나갔고 그 소리에 상기된 서령이는 횡재라도 한 것처럼 떠들었다.

"놀이터에 친구들이 있을까?"

그 말이 끝나기 전에 놀이터 나무 사이로 그네를 타는 서령이 친구가 얼핏 보였다.

"정황희!"

"서령아. 빨리 와. 그네 타자."

반갑다고 달려간 그곳에 유림이도 있었고 잠시 후에는 서정이까지 나타났다. 아이들의 감격적인 해후가 이루어지는 현장을 이날 역시 빠지지 않고 지켜보았다.

"한 시간 반 걸어 다니고 다른 놀이터에서 놀다가 집으로 가는데 서령이 목소리를 들었대요."

친구들 목소리는 멀리서도 귀신처럼 알아듣나 보다. 서정이 할머니는 서정이가 온 사연을 웃음 지으며 들려주셨다. 겨우 들어가나 싶었는데 이제 다시 원점이어서 할머니나 나나 빨리 마음을 비워야 했다. 나도 괜스레 웃음이 나왔다. 놀이터에서는 종종 이런 일이 생겨 노는 아이 겨우 달래서 집으로 들어가려는데 다른 친구가 나타나면 그때부터 다시 시작이다. 한번은 일곱 시가 넘어 서령이를 데리고 들어가려는데 서령이 친구가 나왔다. 둘이 놀다가 협상을 해서 겨우 들어가려는데 이번에는 다른 친구가 아빠와 함께 나왔다. 그 친구를 본 서령이가 꺼낸 말은 "나 놀래"였다. 그날은 "들어가자"는 협상만 세 번을 했다.

"꾀꼬리놀이 하자. 까막놀이 하자."

저녁 무렵 놀이터에 모인 아이들은 서로서로 놀이를 제안하며 재잘거렸다.

"여기 까졌어요."

그네를 타던 유림이가 달려와 중요한 비밀을 알려 주는 듯 다리를 걷어 까진 다리를 보여 주었다.

"아팠겠다."

나도 어렸을 때 다친 곳을 친구들에게 자랑처럼 보여 주었는데. 그네를 타던 아이들은 미끄럼틀로 갔다가 구름사다리를 뛰어내리고 '무궁화 꽃이 피었습니다'를 하며 끊임없이 뛰어다니고 정신없이 재잘거렸다.

집에서 유림이를 기다리던 유림이 엄마가 와서 "이제 들어가자"라고 했다가 유림이의 완강한 저항에 밀려 소득 없이 물러났다. 노는 아이들이 한 명도 들어가지 않은 터였다. 마침 놀이터를 지나가던 서령이 친구가 참새가 방앗간을 그냥 지나칠 수 없다는 듯 놀이 대열에 합류했다.

함께 장을 보고 돌아오던 그 친구 엄마도 집으로 가지 않고 발걸음을 멈췄다. 이번에는 유림이 엄마 대신 할아버지가 나왔지만 한참 친구들과 노는 데 빠진 유림이를 데려가기에는 역부족이었다.

"난 안 들어갈 거야."

아이들은 신나게 놀지만 어른들은 길고 긴 기다림의 연속이다. 고행의 순간이 따로 있을까. 그나마 아이들이 저녁을 먹고 나온 게 다행이라면 다행이었다. 하지만 지금 집에 들어가도 할 일이 덤벼들 텐데 이렇게 기다린다는 건 영 마음 한구석이 불편한 일이다. 그러나 어떻게 할 것인가, 그저 이야기나 해야지.

"흙물이 든 옷이 잘 안 빠져요. 집 안 정리는 엄두도 내지 못하고 그냥 두고 살아요. 노는 아이들 기다리는 일이 힘들어요."

온갖 이야기들이 아이를 기다리는 엄마 아빠들 사이를 빠르게 오갔다.

"아! 유나다."

여덟 시가 넘었는데 이번에는 유나가 음식물 쓰레기봉투를 든 아빠와 함께 나왔다. 뒤이어 엄마도 나왔다.

"유나가 베란다에서 아이들 노는 걸 봤어요."

유나는 어느새 아이들 사이로 들어가 뛰어다녔다. 놀이터 바로 앞에 살면 이럴 수 있겠다. 아이들은 친구가 많아져서 좋겠지만 엄마 아빠들은 언제쯤 집에 들어갈까. 옛날에는 엄마 아빠가 아이들 노는 데 있었던가! 아니 그럴 시간도 그럴 필요도 없었는데. 아이들끼리 놀다가 어둑어둑해져서야 알아서 집으로 돌아가곤 한 게 불과 몇 십 년 전인데 이제는 놀이 풍경이 완전히 바뀌었다.

이번에는 유림이 데려가기 세 번째 도전이다. 퇴근하던 유림이 아빠가 와서 유림이를 기다렸지만 역시 유림이는 들어갈 생각이 없었다. 잠시 후 엄마까지 나오고 나서야 가까스로 들어갔다. 이제 유림이뿐만 아니라 모두들 들어갈 시간이었다.

"얘들아, 하늘이 깜깜해졌어. 지금 집에 들어가서 쉬어야 내일 또 놀지."

"하늘이 하얀데요. 안 들어갈 거예요."

같은 하늘이 왜 이렇게 달라 보이는 걸까. 그냥 들어가는 법이 없는 아이들과 몇 번 실랑이를 벌이다 그네 한 번 더 타는 걸로 최종 타협을 이뤘다. 집이 같은 방향이라 서령이와 서정이는 놀이터에서 나와 가로수 길을 함께 걸으며 뭐 그렇게 할 이야기가 많은지 쉬지 않고 재잘거렸다.

아이들이 친구를 찾고 사귀는 건 본능이 아닐까. 혼자 살아가지 않는 이상 다른 사람과 관계를 맺는 방법을 친구를 사귀며 알아 가는 것 같다. 그래서 죽어라고 친구를 찾고 같이 노는 건 아닐까.

나 잡아 봐라

어렸을 때는 도무지 이해할 수 없었던 영화의 한 장면. 한창 연애에 불붙은 연인이 손을 잡고 해변이나 숲속을 거닐다 갑자기 여자가 이런 말을 하며 뛰기 시작한다.

"나 잡아 봐라."

그런데 늘 그 남자는 잡을 듯 잡을 듯하면서 잡지 못한 채 한참을 뒤따라간다. 그러다 경치 좋은 곳이 나오면 꼭 여자가 쓰러지거나 넘어지려 하고 그때 비로소 남자가 여자를 잡는다. 더 빨리 잡을 수 있건만 이 남자는 왜 이랬던 걸까.

다음은 축구 경기에서다. 멋지게 골을 넣은 선수는 두 팔을 번쩍 치켜올리며 축구장을 전력 질주하고 같은 편 선수들은 이 선수를 잡으려고 똑같이 전력 질주한다. 그러다 골을 넣은 선수를 잡으면 쓰러뜨리거나 머리를 때리거나 등을 친다. 왜 이러는 걸까.

영화나 축구에서나 볼 수 있는 이 희한한 '나 잡아 봐라'가 놀이터에서는 매일 벌어진다. 그러나 결정적으로 다른 점은 '나 잡아 봐라' 한다고 덥석 잡으면 큰일 난다는 거다. 영화에서는 연인들의 뜻 깊은 웃음으로 넘어가지만 놀이터라는 현실 공간에서는 아이들의 볼멘 항의가 쏟아져 나오고 때로는 울먹거리는 소리까지 듣는다.

"왜 나만 잡아요!"

이러면 서로 머쓱해진다. 잡을 수 있지만 잡지 않고 그렇다고 그렇게 티 나게 해서는 안 되고 아슬아슬하게 잡는 척 못 잡는 척 하는 게 놀이터 '나 잡아 봐라'의 핵심이다.

'나 잡아 봐라'는 어른들이, 주로 아빠들이 참여하느냐 안 하느냐에 따라 버전이 다르다. 아이들끼리 하는 경우 다 아는 것처럼 술래는 기를 쓰고 아이들을 잡는다. '무궁화꽃이 피었습니다'를 하던지 도둑잡기를 하던지 술래가 다른 아이들을 잡는 건 당연하다. 이때 도망가는 아이는 죽기 살기로 도망치고 잡으려는 아이는 바짝 약이 올라 따라다닌다. 아이가 잡히는 순간 희비가 교차하는 흥분한 목소리가 들리고 잡힌 아이는 얼굴이 일그러지고 잡은 아이는 영웅이 된 듯한 얼굴이다.

그러나 만약 어른들이 같이한다면 놀이의 규칙은 완전히 달라진다. 첫째, 술래는 어른이고 둘째, 어른은 기를 쓰고 잡는 척을 해야 하고 셋째, 그러나 아이들을 잡아서는 안 되고 넷째, 아이들이 정한 안전지대를 침범하면 안 된다. 덩치 크고 힘이 센 어른을 상대하는 아이들이 만든 최소한의 장치인 안전지대를 침범한다면 아이들의 집단적인 야유를 감수해야 한다.

놀이터에 온 아이들이 외친다.

"황희 아저씨, 도둑잡기 해요. 황희 아저씨, 괴물놀이 해요."

황희 아빠는 직장에서 일찍 퇴근을 해 유치원에서 황희를 데리고 놀이터에 오는, 아이들과 놀기 좋아하는 사람이다. 게다가 다른 아빠, 특히 나와 달리 체력이 좋아 아이들에게 인기가 많다. 아이들이 좋아하는 괴물놀이나 도둑잡기는 사실 거의 같은 놀이지만 괴물놀이는 괴물답게 얼굴을 찡그리고 "으아" 하고 음향 효과를 적절하게 내줘야 한다는 점에서 좀 난이도가 높다.

황희 아빠가 아이들을 따라가면 이리저리 몰려가던 아이들은 흥분해 사방으로 흩어졌다 한꺼번에 자석에 붙는 쇳가루처럼 계단으로 몰려 올라가 원통 속으로 쏙 들어간다. 이곳은 아이들이 정한 안전지대로 어른들은 이곳에 올라갈 수 없고 아래에서 손만 이리저리 뻗을 수 있다. 아이들은 멀찌감치 있어 손이 닿지 않는데도 손이 올라갈 때마다 비명을 지르며 반대쪽으로 재빨리 몸을 숙인다.

"안 돼요. 저리 가요!"

아, 알았다. 이 잡힐 듯 말 듯 아슬아슬한 순간들, 그 긴장감이 놀이에서 가장 중요한 거라는 걸. 이런 걸 보면 오랫동안 이어진 특별하거나 복잡한 규칙이나 도구 없이 할 수 있는 놀이, 예컨대 도둑잡기, '무궁화 꽃이 피었습니다', 술래잡기의 공통점은 잡힐 듯 말 듯한 이 아슬아슬함이 크다는 점이다. 아슬아슬한 바로 그 순간 심장 박동이 빨라진다. 다

른 면에서 보면 이 놀이는 인간의 생존을 위한 본능적인 놀이다. 어떤 사나운 동물을 만나거나 전투에서 적을 만나 쫓고 쫓기는 상황에서 "죽느냐 사느냐 그것이 문제로다"처럼 살아남기 위해 자연스럽게 시작되지 않았을까 싶다. 그래서인지 간단하게 할 수 있는 놀이 가운데 즐거움이 상당히 크다. 막 잡혀 술래가 된 아이들의 얼굴이 울상이 되는 건 살지 못했다는 것에 대한 본능적인 반응일 수도 있겠다. 어쩌면 나이가 들면서 겪을 아슬아슬한 순간들을 놀이로 미리 겪는 것인지도 모른다. 믿거나 말거나.

괴물놀이가 아슬아슬한 긴장감을 준다면 한계나 제약을 넘는 짜릿한 흥분을 주는 놀이 또한 있다.

"아저씨, 높이 밀어 주세요."

"너무 세게는 안 돼. 지금도 엄청 높아."

"아저씨, 치사빤스!"

그네를 타는 아이들은 더 높이, 더 멀리 날아가고 싶어 한다. 그네는 땅에서 살아가는 사람들이 쉽게 날 수 있는 방법이며 또한 사람이 가진 한계를 넘는 재미있는 수단이다. 그래서인지 그네는 아이들에게 인기가 많고 특히 여자 아이들이 좋아해 어떤 여자 아이는 한 시간 내내 그네만 탈 정도다. 또 아이들은 그넷줄을 흔들거나 둘이서 마주보며 탄다.

그런데 새로 만든 놀이터는 위험을 줄이려고 했는지 전보다 줄을 짧게 만들어 높이 올라가지 못하도록 해 그 짜릿함을 팍 줄였다. 그래서

아이들은 더 크게 외치는지 모른다.

"더 세게 밀어 주세요!"

여름 1

먹을거리는 공평하게

놀이터에 뜻밖의 보급기지가 생겼다.

이 기지의 대장은 매일 놀이터에서 만나는 서정이 할머니다. 보급대장의 자격 요건은 무엇일까? 뭐니 뭐니 해도 제일 중요한 건 자발적이어야한다는 점, 즉 등 떠밀려 하지 않는다는 거다. 누가 상을 주는 깃도 아니고 또 해야 할 의무가 있는 것도 아니며 게다가 누가 알아주지도 않는일이다. 다만 아이들이 맛있게 먹는 게 최대한의 보상이자 기쁨이랄까.

두 번째는 뭘까. 역시 부지런해야 한다. 코코아를 타거나 옥수수를 삶거나 먹을거리를 아이들 숫자에 맞게 넉넉하게 준비하려면 몸도 마음도이래저래 한가할 틈이 없다. 나 같은 사람은 처음부터 고개를 흔들 일이다. 당장 코앞에 해야 할 일도 미루고 미루다 어쩔 수 없을 때나 하는 입장에서는 그저 놀라울 뿐이다. 그리고 공평함이다. 군대에 이런 말이 있다. "배식에 실패한 군인은 용서하지 않는다." 군대 식당에서 치킨이 나오는 날 줄을 늦게 섰다가 내 앞에서 치킨이 떨어지기라도 하면 세상 무너지는 기분이었다. 놀이터라고 다르지 않고 오히려 더하면 더했지 덜하지 않다. 아이들에게 먹을거리라면 그 순간만큼은 엄마 아빠보다 더 중요하다. 어떻게 해서든 먹고살아야 하는 본능 때문이라고 생각하면서도 장난으로 서령이에게 한 입만 달라고 애걸해도 꿈쩍하지 않을 때는 깜짝 놀라고 만다. 마지막으로 모르는 아이들이라도 먹고 싶은 눈빛을 보내면 나눠 줘야 한다. 먹을거리 때문에 차별당한다고 느낄 때 그 기분은 뭐라 말하기 어렵다. 오죽했으면 콩 한 쪽도 나눠 먹으라고 했을까.

"애들아 코코아 먹자."

놀이터 앞집에 사는 보급대장 서정이 할머니가 그날의 보급품인 코코아를 한가득 타오셨다. 보급품이 도착하자 놀이터에서 놀던 아이들은 너나 할 것 없이 연못에서 먹이를 기다리는 물고기처럼 탁자 둘레로 우르르 몰려들었다. 노느라 목이 말랐는지 재빨리 한 잔 마시고 다시 달라는 아이, 몇 잔째 계속 더 달라는 아이도 보인다. 코코아 스무 개가 순식간에 완판되었다. 그나마 먹지 못한 친구가 없어서 다행이었다.

"먹을 거를 주려면 다 주고 아니면 안 주던가. 모자라게 주면 안 주느니만 못해."

서정이 할머니가 아이들이 먹고 간 컵을 정리하면서 한마디 하신다.

밖에서 다 같이 둘러앉아 먹으면 돌이라도 씹어 먹을 것 같듯이 놀이터에서도 평소 집에서는 잘 먹지 않던 먹을거리도 친구들과 함께라면 냠냠 맛있게 먹는다. 맛으로 먹고 분위기로 먹고.

그날은 시원한 구름다리 밑에 둥그렇게 자리를 잡고 아이들에게 마음

대로 지은 동화를 들려주는 중이었다.

"옛날 옛날에 아 졸려 아저씨가 살고 있었어. 아 졸려 아저씨는 친구가 있었는데…"

이야기를 이어 나가려는 순간 서정이 할머니가 먹을거리를 바리바리 싸들고 오셨다. 알이 탱탱한 옥수수, 일반 가게에서는 볼 수 없는 큼직한 수제 빼빼로, 노랗게 우러난 우엉차였다. 어른들을 위해 커피를 가지고 오는 것도 잊지 않으셨다. 그런데 먹을거리를 준비하러 들어간 사이 아이 둘이 더 늘어 모두 다섯 명이 되었다. 이럴 때는 나누면 된다. 옥수수와 빼빼로를 잘라 골고루 돌아가도록 했다.

"서정이는 집에서는 빼빼로 잘 안 먹는데 밖에서는 잘 먹어요."

어디 빼빼로뿐이겠는가. 서령이도 집에서는 우엉차에서 냄새가 난다며 잘 마시지 않는데 여기서는 오렌지 주스처럼 홀짝홀짝 잘 마셨다. 친구랑 같이 먹는다면 흙이라도 퍼먹을 기세다.

"아 졸려 아저씨 그 다음에 어떻게 됐어요?"

출출한 속을 달랜 아이들은 그제야 다음 이야기가 궁금한가 보다. 역시 옛말이 맞다. 금강산도 식후경!

"서령아, 우엉차 마셔 볼래?"

"안 마셔."

집으로 들어간 서령이는 언제 맛있게 먹었냐는 듯 나 몰라라 했다. 참 신기한 일이다.

아이들이 다 먹고 다시 놀이터에서 놀 때 어른들은 서정이 할머니가 타온 커피를 마시며 이런저런 이야기를 나눈다. 놀이터에서 가장 즐거운 시간이 바로 이때다. 아이들 학교 보내고 설거지 마치고 커피 한 잔 마실 때 기분이 꼭 이렇지 않을까.

며칠 후 놀이터에서 일이 벌어졌다. 서령이보다 한 살 위인 채은이가 동생들에게 나눠 준다고 애써서 초코파이를 가지고 나왔다. 하나둘 나눠 주다 보니 딱 한 개가 모자랐고 그만 마지막에 줄을 선 서령이가 받지 못했다. 다른 아이들이 게 눈 감추듯 맛있게 먹고 있을 때 서령이는 억울하고 서운한 표정으로 내게 다가왔다. '아이고 이걸 어쩌나.' 그런데 그 순간 구원자가 나타났다. 사태를 재빨리 눈치챈 항회 아빠가 서령이를 가게로 데려갔고 잠시 후 서령이가 온 세상을 가진 듯 환한 얼굴로 초코파이를 흔들며 놀이터로 들어섰다.

어느 날은 잘 모르는 아이들이 갑자기 늘어나 먹을 게 부족할 때가 있다. 한 엄마가 아이들 숫자에 맞춰 아이스크림을 사와 나눠 주었다. 맛있는 아이스크림을 본, 낯선 아이들 역시 순식간에 그 엄마 주위로 모여들었지만 이미 봉투는 텅 비었다. 아쉽게 빈 봉투만 물끄러미 보고 돌아서는 아이들 어깨가 유난히 처져 보였다.

서정이 할머니가 보급대장을 맡기 전부터 또 한 분의 보급대장이 있었다. 유림이 할머니는 마법사처럼 자주 떡을 가지고 나와 아이들에게 나눠 주셨다. 어느 날은 찹쌀떡, 어느 날은 인절미 등 종류도 다양했다.

떡을 잘 먹지 않는 아이들도 그 순간만큼은 떡보가 되어 입이 개구리처럼 커졌고 어른들 역시 아이들 못지않은 떡보가 되었다.

두 할머니로부터 시작된 먹을거리 보급은 물결이 퍼지듯 여러 사람들에게 이어졌다. 준현이 할머니가 부침개를 가지고 오신 날 아이들이 구름처럼 몰려들었다.

"더 주세요. 더 주세요."

어떤 날은 놀이터에서 매일 보는 아이 엄마가 떡이 담긴 접시를 들고 나와 황희 아빠와 내게 주었다.

"아이들하고 나눠 드세요."

그 마음이 고맙다. 나는 뭘 할 수 있을까. 아버지가 텃밭에서 길러 보내 주신 방울토마토를 씻어 놀이터로 가지고 나갔다. 방울토마토를 맛있게 먹는 아이들을 보니 마음이 뿌듯했다. 아, 이런 기분이었겠구나.

먹을거리를 들고 오는 건 어른뿐만 아니다. 저녁 무렵 아파트 단지에 저녁 반찬거리와 과자를 파는 트럭이 오면 아이들은 어른을 졸라 그곳으로 달려가 뻥튀기를 사와 다른 아이들과 나눠 먹는다. 또 아파트 근처 떡 가게에서 아이들과 나눠 먹는다고 엄마 아빠를 졸라 떡을 사오는 경우도 있다. 때로는 집에서 샌드위치를 만들어 달라고 졸라 가지고 나온다. 먹을거리를 가지고 올 때는 바로 그 아이가 놀이터의 대장이 된다.

"애들아 이거 먹어!"

대장이 외치자마자 주위로 줄이 순식간에 늘어선다.

"어 고마워."

그런데 먹을거리를 골고루 나눠 받지 못할 때는 어른을 찾아와 울먹이며 하소연한다.

"쟤네는 두 개 주고 나는 한 개 줘요."

세상이나 놀이터나, 어른이나 아이나 공평한 먹을거리만큼 중요한 게 또 있을까.

아지트

아이들은 놀이터마다 아지트를 만든다.

그런데 놀이터를 이루는 시설물, 예컨대 그네, 시소, 복합놀이대 어디를 둘러봐도 아지트라고 따로 이름 붙인 건 도무지 눈에 들어오지 않는다. 다른 곳을 이리저리 살펴보지만 아지트는 흔적조차 보이지 않는다. 아지트는 어디에 있는 걸까.

보이지 않는 아지트를 어떻게 하면 찾을 수 있을까? 그 방법은 뜻밖에 간단해 그저 아이들 노는 걸 유심히 지켜보면 된다. 아이들이 그네를 타고 구름사다리를 건너고 미끄럼틀에서 미끄러지고 술래잡기를 한다. 내일 세상이 끝나더라도 오늘 한 그루의 사과나무를 심을 것처럼 논다. 이 장면을 보고 있으면 아이들이 주연하는 다큐멘터리를 보는 것 같다.

그 다큐멘터리에는 아이들이 흐르는 강물처럼 끊임없이 놀다 어느 순간 정지화면처럼 멈추는 장면이 꼭 들어간다. 아이들이 정지하는 바로 그 공간이 아지트라고 보면 틀림없다. 그곳에서 아이들은 눌러앉아 숨을 고르고 깔깔거리며 그들만의 세상을 만든다. 어른들 눈에는 아무것도

아닌 그곳이 어른들의 눈길과 잔소리가 들어올 수 없고 들어와서도 안된다고 믿는 아이들의 가상 공간이다.

그 순간만큼 그곳은 아이들에게 허구의 세계가 아니라 뭐든지 할 수 있는 자유 공간이며 뭐든지 실현되는 마법의 공간이고 오로지 내가 주인인 독립 공간이다.

아이들의 마법 공간이 어디일까? 우리 동네 놀이터에서는 구름다리 아래, 구름다리 위, 원통 속이다. 대수롭지 않은 그곳이 유치원생 서령이부터 초등학교 고학년까지 이용하는 아지트다.

근사한 어떤 곳이 아니라 어설퍼 보이는 이곳이 어떻게 아지트가 되었을까? 이곳을 눈여겨보면 몇 가지 공통점을 찾을 수 있다. 우선 안과 밖을 구별하는 장치들이 있다. 구름다리 아래 아지트는 위에 지붕이 있고 구름다리 위 아지트는 양옆에 난간이 달렸으며 원통 속 아지트는 더 말할 필요가 없다. 이런 장치들은 바깥 세계와 아지트의 세계를 경계 짓는다. 또한 완벽하지는 않지만 부분적으로 어른들의 시선을 피할 수 있다. 대개 이런 공간들은 넓지 않은데, 좁디좁은 엄마 배 속에서 느꼈던 원초적인 편안함을 이곳에서 느끼기 때문이 아닐까.

그들만의 공간인 아지트에, 나와 같은 어른이 접근한다면 어떤 일이 벌어질까. 아이들의 세계에 적극적으로 참여하면 잠깐이나마 눈감아 주지만 그지 어른의 입상에서 들어가려고 하면 쫓겨나거나 아예 아지트에서 우르르 나와 버린다.

그날은 아이들이 구름다리 아래 아지트에 옹기종기 모여 이야기를 하는 중이었다. 무슨 이야기를 하는지 궁금해 슬쩍 들으려고 아지트로 접근하려 했다.

"서령이 아빠 온다."

그러더니 아이들은 입을 다물고 새로운 아지트로, 그래 봤자 구름다리 위지만, 재빨리 자리를 옮겼다. 아이들에게 아지트는 어른으로부터, 다른 사람으로부터 자유로운 해방 공간이었다.

어디 아이들뿐인가. 날마다 놀이터 둘레 탁자에 둘러앉아 이야기를 나누는 엄마들에게 그곳은 아지트가 된다.

어렸을 때를 돌이켜 보면 많은 아지트를 만들었다. 시골에 살 때는 짚더미나 나뭇가지를 엮어 어설프지만 근사한 아지트를 직접 만들었고 도시에서는 놀이터의 원통처럼 동그란, '노깡'이라고 불렀던 수도관이 아지트였다. 집 안에서도 아지트를 만들었는데 처음에는 책상 아래 작은 공간이 그곳이었고 나중에는 어른들이 올라오지 않는 다락방이 아지트였다. 그 다락방에서 책 읽고 나무를 깎아 목각 인형을 만들며 시간을 보냈다.

아이들이 편안함을 느끼는 바로 그곳이 아지트가 된다. 독일의 놀이터 디자이너 귄터 벨치히는 놀이터에서 아지트가 꼭 필요하다고 말했는데 전적으로 동감한다.

아지트가 필요한 사람이 어디 아이들뿐인가. 비록 몸 하나 들어갈 작은 곳이라도 간섭 없이 마음 편히 쉴 수 있는 그런 곳을 누구나 꿈꾸지 않나.

"나만의 공간이 필요해!"

대부분 어른들은 막연한 꿈으로 간직하지만 아이들은 어렵지 않게 그 자리에 아지트를 만든다. 그 아지트에서 아이들은 무엇을 할까? 어른들이 모르는 비밀 이야기를 하고 역할놀이를 하다 가끔은 어른을 초청해 공연을 한다.

"할머니, 아빠 공연 보러 오세요."

구름다리 위에는 서령이와 서정이가 공연할 준비를 마쳤다.

"공연을 시작하겠습니다. 옛날 옛날 먼 옛날에 토끼와 다람쥐가 살고 있었어요. 그러던 어느 날 토끼가 다람쥐네 집으로 찾아갔지요. 깡충깡충 똑똑똑."

"누구세요?"

"나 토끼야. 문 좀 열어 줘."

"토끼야 우리 뭐 할까?"

"밖에 나갈까?"

"그래. 밖에 나가서 나뭇잎 따오자."

때로 그곳은 수많은 역할놀이의 무대가 되고 때로는 창의 미술실로 변신한다. 어느 날 아이들이 나무에서 열매를 따오더니 그 열매를 부엉이라고 불렀다. 다들 구름다리 아래에 둘러앉아 부엉이로 무엇을 만들까 고민을 했다.

"탑 쌓을까?"

"나는 그림 만들래. 합쳐서 그림 만들자."

"난 숫자 만들어야지."

아이들은 서로 뭐를 만들겠다고 말하다 숫자를 만들기로 결정했다.

서령이 친구들이 주로 역할놀이를 하는 반면 초등학교를 다니는 아이들은 이야기를 나누거나 아예 돗자리를 깔고 카드놀이를 하거나 손가락놀이를 한다. 놀이를 하는 아이들은 마치 그곳에는 다른 사람은 없고 오직 그들만의 세상인 듯 깔깔거리며 자지러지게 웃는다.

해봐야 안다

서령이 친구 예은이가 놀이터에 나타나자 아이들이 줄줄이 달려가 예은이 앞에 섰다. 무슨 일이 일어난 걸까?

"나도 해볼래."

아이들은 작은 안경처럼 생긴 막대에서 쏟아져 날아기는 비눗방울에 다들 넋을 잃었다. 코앞에서 천지창조의 순간을 목격한 아이들이 그저 보고만 있다는 건 상상할 수 없는 일이다. 아이들은 점점 더 큰 소리를 질러 댔다.

"나도 해볼래."

"그래."

마법의 도구는 망설임 없이 첫 번째 아이에게 전해져 창조주로 등장한 아이는 물고기를 낚아채려는 새처럼 막대를 비눗물 통으로 쏙 집어넣더니 어느새 입 앞으로 가져와 있는 힘껏 바람을 불었다. 막대에서 쏟아진 비눗방울이 무지갯빛을 반짝이며 사방으로 흩어졌고 아이들은 더 높이 날아가기 전에 손가락으로 찌르기에 바빴다. 아이의 손가락에 닿

은 비눗방울은 힘 한번 쓰지 못하고 톡 터지며 짧은 생을 마감했다.

아이들과 나는 눈앞에서 순식간에 별이 태어나고 자라고 사라지는 과정을 지켜보았다.

아이들은 점점 흥분해 소리를 지르며 방울을 따라 무리 지어 뛰어다녔다. 도대체 아이들은 왜 저러지? 그러나 사실 아이뿐만이 아니었다. 대학 때 친구는 수업 대신 강의실 밖에서 비눗방울을 불었고 인사동에서 만난 버블 아티스트는 아예 비눗방울에 미쳤으니까.

어느새 나도 아이들 줄에 서 있었다. 맛을 알려면 어쨌든 먹어 보는 수밖에.

"아저씨 빠져요."

"아저씨가 왜 그래요."

이렇게 말하는 아이가 없어 그나마 다행이었다. 그 말을 듣는다 해도 "어른도 해보고 싶을 때가 있는 거야"라며 힘주어 말했겠지만. 아마 하늘을 날아가는 방울을 보느라 나를 의식할 겨를조차 없었을 것이다. 내 앞에서 한 아이가 비눗방울을 불기 시작했다. 한 번, 두 번, 세 번, 네 번, 다섯 번. 이제 뒷사람인 나에게 넘겨줄 때가 되었건만 도대체 끝날 기미가 보이지 않았다. "이제 그만하고 양보하시지"라고 말할 뻔하다 겨우 참았다. 그래도 내가 어른인데. 그러나 이 줄은 인내심을 쉽게 바닥내는 마법을 부렸다. '나도 얼른 해보고 싶은데.' 이제 어른은 온데간데없고 빨리 불어 보고 싶은 마음만 가득했다.

"친구야, 아저씨도 불고 싶어."

"너 많이 불었잖아. 그만해."

"너 자꾸 그러면 안 된다."

그 아이가 불 때마다 이런 말들이 줄줄 나왔다. 이런 아저씨가 애처로웠는지 주인인 예은이가 중재에 나섰다.

"이제 그만해."

'예은아 고마워. 체면 살려 줘서.' 비눗물을 묻히고 입 가까이 대고 "후" 하고 불자 행성들이 태어나 우주를 떠다니기 시작했다. 둥둥 떠가는 방울에 내 기분도 덩달아 둥둥 떠다녀 하늘을 나는 듯했다. 아이나 어른이나 사람에게는 중력을 거스르고 싶은 본능이 있는 게 틀림없었다. 그렇지 않다면 이렇게까지 흥분할 수 있을까.

다시 바람을 불었다. 같은 곳에서 나왔는데 모양이 제각각이었고 가끔은 마치 몇 개의 원소가 결합된 분자구조처럼 몇 개의 방울이 붙어 날아갔다. 세상에 없던 것을 만들어 내는 예술가가 따로 없었다. 세 번째 불었다. 방울에서 놀이터, 아파트, 세상이 보여 어안렌즈를 보는 것 같았다.

"얘들아, 세상이 보여."

그러나 흥분한 나와 달리 아이들은 손가락을 찔러 대기에 바빴다. 닿을 듯 말 듯 날아가기에 더욱 신나는 모양이었다. 언제 끝나나 기다렸을 다음 아이에게 막대를 넘겨주고 이번에는 아이들처럼 높이 올라가는 비

눗방울을 터뜨리기 시작했다. 때로는 벌처럼 순식간에 찌르고 때로는 천천히 찔렀다. 이러는 사이 놀이터는 순식간에 버블 공연장으로 바뀌었다.

아이 놀이와 어른 놀이의 경계를 무너뜨리는 건 호기심이었다.

막대는 돌고 돌아 주인인 예은이에게로 돌아갔다. 비눗방울을 불며 "세상이 보여!"라며 나처럼 말했지만 그 말이 아이들 귀까지 다가가지 않았다. 아이들은 "술래잡기 하자!"라는 말과 함께 우르르 몰려가면서 물방울놀이도 거의 끝나는 듯했다. 그러나 예은이는 새로 합류한 아이들을 이끌고 화단에 올라가 방울을 불었는데 나중에는 그 아이들마저 사라지고 이제 나와 한 아이만 남았다.

이번에는 터트리는 대신 하늘 높이 올려 보고 싶었다. 비눗방울 아래를 후후거리며 바람을 불어넣었다. 바람이 닿을 수 없을 때까지 바람을 불자 탄력을 받은 방울은 하늘과 분간을 할 수 없을 때까지 떠올랐다. 멀리 날아가는 걸 보는 것 자체로 내가 두둥실 날아갈 것 같았다. 어렸을 때 연을 날리던 기분이 이랬을까.

"예은아, 높은 곳에서 불어 볼래?"

놀이터에서 가장 높은 곳은 구름다리다. 무지개 모양 구름다리에서 떨어지는 비눗방울은 같은 모양이 아니었다. 비눗방울 두 개는 눈사람, 세 개는 분자 구조체, 네 개는 우주선, 다섯 개는…. 손으로 바람을 일으켜 올린 후 정신이 멍멍할 정도로 바람을 불면 비눗방울은 하늘 높이 올라갔다.

　나는 여전히 방울에 바람을 불었고 곁에 선 아이는 여전히 터뜨려 기분 좋은 경쟁이 붙었다. 어떻게든 날려 보내려는 자와 터뜨리려는 자 사이에 벌어지는 치열한 경쟁의 순간이었다.

　동화 『피리 부는 사나이』에서 나오는 그 피리가 오늘은 비눗방울이었다. 피리는 오늘 한 어른을 아이들 세상으로 데려갔다. 구경하는 것과 해보는 것의 차이는 크다. 해봐야 정말로 아는 일이 있다.

안전과 즐거움 사이

　우리 동네 놀이터에는 마법의 연못이 있다. 보통 때에는 평범한 놀이터 바닥이지만 비가 내리면 빗물이 모여 아이들의 발이 살짝 잠길 만한 연못이 된다. 비올 때마다 하늘이 만들어 준 물 놀이터를 아이들이 그냥 구경만 하고 있지 않는다.

　그네를 타던 서령이가 뭔가 할 말이 있다는 듯 쪼르르 달려왔다.

　"아빠, 발 담가도 돼?"

　"응."

　털썩 앉아 신발을 벗고 양말을 쭉 잡아당겨 양말을 벗기 무섭게 연못에 발을 담갔다. 그러자 "첨벙" 소리와 함께 작은 물보라가 일어났고 같이 놀던 서정이도 할머니에게 말하고 연못으로 들어왔다. 유림이도 빠질 수 없다는 듯 친구들 물놀이 대열에 합류했다.

　물에서 첨벙거리며 뛰어다니는 서령이를 보며 왜 아빠에게 허락을 구했을까 싶었다. 놀이를 선택하는 건 아이들의 자유인데. 아예 더 어린 아이들은 이럴 때 엄마 아빠의 허락은커녕 신발을 신은 채 바지가 젖는

줄도 모르고 앞으로 앞으로 돌진한다.

서령이는 신발이나 양말을 벗고 놀 때만큼은 꼭 물어본다. 다른 놀이와 다르게 이건 허락을 구해야 하는, 좀 특별한 일이라고 여기는 듯싶다. 발을 다칠 수 있을 뿐만 아니라 물에서 노는 건 옷이 다 젖을 수 있고 더러워질 수 있다는 걸, 그러면 아빠에게 잔소리 들을 수 있다는 걸 알고 있는 셈이다. 허락을 구한다는 건 설사 더러워지고 다쳐도 자기한테 뭐라 하지 않기라는 무언의 약속을 요구하는 것과 같다.

내 지론은 옷이 더러워지면 빨면 되고 몸이 더러워지면 닦으면 되고 놀다가 다치면 어쩔 수 없다는 거다. 처음부터 그랬던 건 아니었고 서령이와 놀다 보니 점차 그렇게 되었다. 이런 것 저런 것 다 따지면 할 수 있는 놀이가 많지 않았다. 특히 다른 아이들도 그렇지만 서령이도 흙을 좋아해 흙놀이를 하고 나면 손이나 옷은 말할 것도 없고 머리 속에 흙이 들어갈 때도 많았다. 하지 못하게 막는다면 옷이나 몸이 더러워질 일이 없고 혹시 모를 병이 걸릴 일이야 줄어들겠지만 그보다 하고 싶은 놀이를 맘껏 하는 편이 서령이에게나, 나에게나 낫겠다 싶었다.

얼마 전에 있었던 일이다. 매일 놀이터에서 보는 어린아이가 물웅덩이를 헤집고 다녀 두 번이나 옷을 갈아입었다. 그러고도 흥을 이기지 못해 다시 물에 들어가 첨벙거리자 갈아입은 옷이 순식간에 젖어 버렸다. 이 모습을 본, 탁자에서 우아하게 이야기를 나누던 엄마 둘이 나지막하게 소곤거렸다.

"저건 아니지!"

저렇게 놀도록 놔두는 아이 엄마를 나무라는 투였다. 내 눈에는 멋있게 보이던데. 그 순간에도 아이는 자기가 일으킨 물보라를 보고 깔깔거리고 있었다.

아이들은 쉬지 않고 물에서 왔다갔다를 되풀이했다. 그럴 때마다 물결이 일고 물방울이 사방으로 튀겼다. 평소에 활발하게 몸을 움직이는 유림이는 바지가 금세 젖어 보는 내가 차가울까 봐 걱정이 드는데 정작 유림이 얼굴은 웃음으로 가득했다.

놀이터에서 아이들이 어른들에게 무엇을 기대할까? 만약 내가 아이들이라면 무엇을 하려고 할 때 일단 지켜봐 주는 것일 듯하다. 어른들이 노는 게 아니라 아이들이 노는 거니까. 그러나 어른 입장에서는 이것이 중요하다고 여겨도 일단 보호자 입장이고 그러다 보면 무엇보다 아이의 안전이 중요해 아이가 위험하다고 판단하는 순간 큰소리부터 나온다.

"하지 말라니까. 내려와. 그만해."

게다가 때로는 뭔가 가르치려고 하는 학습 의지가 발동한다. 이왕이면 하나라도 배우면서 놀면 더 좋지 않을까 싶은 마음이다. 그러나 그건 아쉽게도 이루기 힘들다는 걸 몇 년 간의 놀이터 경험으로 잘 안다. 놀이는 학습이나 교육과는 달라 놀이의 핵심은 무엇보다 본인이 즐거워야 한다는 점이다.

가끔 놀이터에서 이런 장면을 목격하면 깜짝 놀라 뭐가 맞는 걸까 고민한다.

어느 날 그네 앞에서 한 아이가 혼나고 있었다.

"네가 타고 싶다며. 탈 수 있다며. 근데 그렇게 내려. 앞으론 그네 타지 마!"

그네에서 빨리 내렸다고 네 살쯤 보이는 아이가 엄마한테 큰 잘못이라도 지은 것처럼 혼났다. 타고 싶다고 해서 탔는데 막상 타니까 무서웠고 그래서 내렸을 뿐인데. 아이는 잔뜩 주눅이 들었고 내내 끈기를 강조하던 그 엄마의 얼굴에는 화가 가득했다.

이번에는 세 살쯤 되는 아이가 그네를 타려고 하자 다른 엄마랑 이야기를 나누던 엄마가 깜짝 놀랐다.

"뒤로 넘어가면 확 넘어져서 위험해. 타지 마."

그네를 잡던 아이는 움찔해 그네에서 멀어졌다. 하던 이야기를 멈추고 그네 옆에서 도와주면 될 텐데. 이번에는 다섯 살 아이가 그네를 타자 폭풍 잔소리가 시작되었다.

"높이 타지 마. (서서 타니까) 앉아서 타. 다리를 저어야지. 아휴."

한꺼번에 폭주하는 엄마의 주문에 아이 얼굴이 굳어 갔다.

아이들 놀이에 어디까지 관여할 것인가. 흙을 만지면 씻으면 되고 옷이 더러워지면 빨면 되고 설사 신발을 벗고 놀다가 다치면 치료하면 되고 뭐 이렇게 생각하니까 잔소리하거나 하지 말라고 하는 일이 좀 줄어든다. 아이들이 비싼 돈 주고 산 장난감보다 그 포장지를 더 좋아할 수

있다는 걸 아니까 놀이기구 역시 꼭 내가 원하는 대로 이용하지 않을 수 있고 때 되면 다 하겠거니 생각한다.

그러나 사실은 이렇게 생각해도, 놀이의 결정권은 내가 아니라 서령이에게 있다고 여겨도 "뭐 해도 돼?"라고 서령이가 물었을 때는 보호자의 입장에서 결정을 내릴 수밖에 없어 안전과 즐거움 사이에서 늘 갈등을 한다.

"놀이터는 간섭과 제지와 금지로부터 해방된 놀이터가 되어야 한다."

놀이터 디자이너 편해문 선생이 한 이 말이 중요하다고 여기면서도 그렇다.

놀이터로 소풍 가는 날

"오예~ 소풍."

눈을 뜨자마자 서령이가 소리쳤다.

"아, 내일 소풍이지! 날씨 맑아야 하는데 비가 오면 어떡하지?"

"우산 쓰고 밥 먹어야지."

내일은 서령이 친구 서정이, 유림이와 같이 유치원에서 만든 숲속 아지트로 소풍을 가기로 한 날이다.

소풍을 가기로 결정한 건 지난 주였다.

"다음 주 화요일 유치원 아지트로 소풍 갈까요?"

지난 주 아이들 방학을 기념하는 이벤트로 아이들이 만든 숲속 아지트로 소풍을 가보는 게 어떨까 싶었다. 다들 오케이. 실컷 놀고 집으로 가던 유림이는 더 신났다.

"텐트 가져가야지."

기다리고 기대하던 소풍 당일 아침, 제일 먼저 돗자리를 닦은 후 소풍 메뉴는 뭐가 좋을지 냉장고를 살펴보았다. 복숭아, 토마토, 얼린 오미자로 결정했다. 요깃거리로 주먹밥을 만들면 좋겠는데 마침 쌀이 딱 떨어져 포기했다. 그래 이 정도면 되겠지 싶어 대충 준비를 마치고 일찌감치 공원으로 나가 서령이와 자전거를 타고 있었다.

"서정이가 눈이 아파서 산에 가기는 어려울 것 같고 만나는 시간도 늦춰야 할 것 같아요."

서정이 할머니 전화였다. 소풍 장소를 유치원 아지트에서 놀이터로 바꾸었다. 아쉽긴 하지만 안 가는 것도 아니고 매일 가는 놀이터로 소풍 가는 기분은 어떨까 궁금했다.

"지금 몇 시야?"

벌써 몇 번째 묻는지 모르겠다. 비가 그친 하늘은 사정없이 뜨거운 기운을 쏟아 내 머리에서 땀방울이 샘물처럼 솟아났다. 아직 놀이터에는 서령이와 나뿐이다. 그때 서정이 할머니가 지나가다 우리를 봤다.

"서정이가 다섯 시쯤 오고 유림이도 그때 온다고 했는데."

옳다구나 싶어 더 놀겠다는 서령이를 날씨를 핑계 삼아 집으로 데려오는 데 성공했다. 산에서 내려오는 바람이 시원해 나가지 말고 그냥 이대로 쭉 있었으면 좋겠다 싶었는데.

"아빠, 지금 몇 시야?"

서령이가 다시 시간을 물었다. 아침부터 지금까지 도대체 몇 번째야, 이럴 줄 알았으면 진작 시간 보는 법을 가르쳐 줄걸. 드디어 목 빠지게 기다리던 다섯 시에 집을 나서 놀이터로 들어섰다.

"서령아!"

옛날 드라마의 주인공 삐삐처럼 양 갈래 머리를 하고 시원한 원피스를 입은 유림이가 서령이를 보자마자 후다닥 달려왔다. 유림이네는 벌써 놀이터 한구석 시원한 곳에 돗자리를 깔고 찬합을 늘어놓았는데, 찬합에는 떡이며 옥수수며 단호박이 가득 들었다. 유림이도 얼마나 설렜을까? 잠시 후 서정이와 할머니가 오고 지나가던 채원이, 채은이 자매도 자리를 잡았다.

그런데 참 이상한 일이다. 매일 오는 놀이터에 돗자리만 깔았을 뿐인데 멀리 소풍을 나온 기분이라니. 그리고 보면 야외 기분을 느끼고 싶어 집에서 텐트를 치고 잤다는 어느 집 이야기도 나름 일리가 있다.

"단호박은 안 먹으세요?"

다들 떡을 먹느라 정신이 없는데 유림이가 단호박을 들고 간절한 표정으로 말했다.

"유림이가 단호박을 꼭 가져가야 한다고 해서 가져왔어요."

유림이 할머니 말씀을 들으니 유림이 말이 더 애틋해 사연 많은 단호박을 먹지 않을 수가 없었다.

"이상하게 맛있는데. 원래 옥수수 싫어하거든요."

맛있게 옥수수를 먹던 채원이는 먹으면서도 아리송한 모양이었다. 같은 음식도 밖에서 먹으면 더 맛있고 평소에 먹지 않던 것도 함께 먹으면 맛있게 변한다. 어울려 먹는 힘이다. 컵에 음료수를 따른 아이들이 컵을 앞으로 내밀며 외친다.

"하나 둘 셋, 짠!"

신나기는 어른이나 아이나 마찬가지다. 모두가 배부르게 먹었으니 저녁은 따로 걱정할 필요가 없고 늦게 들어가도 씻기고 재우면 그만이다. 살맛 나는 세상이 별건가!

"유림이가 아침부터 언제 가냐고 그랬어요."

유림이 할머니 말씀을 들으니 서령이만 그런 게 아니었다. 어릴 때 소풍을 앞두고 전날에는 비가 오지 말라고 아끼는 돌멩이에게 기도하고 당일 아침에는 새벽같이 눈을 떠 미리 사둔 군것질 거리 가운데 혹시 빠진 게 있나 싶어 확인하고 또 확인했었다.

일단 배를 채운 아이들은 놀러 갔다.

"으흐흐흐"

아이들이 얼마 전 납량특집으로 시작한 귀신놀이다. 일단 아이들이 놀이터에 누워 있다가 "하나 둘 셋" 하면 우르르 뛰어간다. 그러면 귀신 역할을 맡은 아이가 머리카락을 앞으로 늘어뜨린 채 재빨리 쫓아간다. 특히 여자 아이들이 귀신을 할 때는 긴 머리를 한 올 한 올 앞으로 늘어뜨려 어릴 때 봤던 〈전설의 고향〉의 귀신 못지않게 무서웠다.

아이들이 노는 사이 어른들은 돗자리에 둘러앉아 이야기를 나누기 시작했다. 돗자리는 마법의 힘이라도 지닌 듯 다들 하고 싶은 이야기를 누가 먼저랄 것 없이 풀어놓았다. 어른들이 이야기놀이에 빠진 사이 아이들은 귀신놀이를 마치고 '무궁화꽃이 피었습니다'를 시작했다.

"나도 좀 끼워 줘."

한 남자 아이가 부탁을 해 끼워 주고 가위바위보를 했는데 마침 그 아이가 술래였다. 그런데 그 아이는 "무" 자를 말하기 무섭게 중간은 어디로 갔는지 바로 "다" 자를 외치고 번개처럼 고개를 돌려 움직이는 아이들을 매섭게 지적했다. 순식간에 모든 아이가 걸렸다.

"나 안 할래!"

아이들은 반칙성이 강하다 싶었는지 다시 귀신놀이로 복귀했다. 일곱 시 가까이 되자 날이 어둑어둑했으나 이 정도면 아직 아이들에게는 초 저녁이다.

"유림이 때문에 알게 된 사람이 많아."

유림이 할머니 말씀마따나 나도 서령이 때문에 안 사람들이 많다. 아이는 대인관계를 확 바꿔 놓아 어떤 날은 아내보다 이분들을 보는 시간이 더 많다. 그사이 땀범벅이 된 아이들이 다시 돗자리로 힐레벌떡 달려왔다.

"복숭아 있지? 복숭아 먹자."

서령이가 내게 말했다. 복숭아 그릇을 열고 포크를 꺼냈다. 복숭아를 먹은 아이들은 다시 귀신놀이를 시작했다. 나도 은근슬쩍 아이들 틈에 끼어 아이들과 귀신놀이를 하다 이번에는 역할놀이를 하는 아이들을 살펴봤다. 언니, 동생 역할을 맡아 마트로 장난감을 사러 가는 척을 하는 아이들은 그 역할에 충실한 게 아니라 이미 그 자체였다. 아마 세상에서 가장 뛰어난 배우들이 이 아이들이 아닐까.

아이들이 노는 사이 어둠이 내리고 동쪽 하늘에 달이 떴다. 놀이터 아이들도 여러 차례 바뀌어 일곱 시를 전후해서 놀던 아이들이 들어가고 다른 아이들이 나왔고 여덟 시 가까이 되자 초등학교 고학년 아이들이 나와 놀이터를 주름잡고 다녔다. 저렇게 덩치 큰 아이들이 쏜살같이 달려와 혹시 아이들과 부딪힐까 봐 아이들을 더 주의 깊게 바라보았다. 그때 서령이가 울상을 하며 달려왔다.

"까막잡기 하고 싶은데 애들이 자꾸 안 할라고 해."

"서령이가 까막잡기 무척 하고 싶었나 봐."

"빨리 부산 외갓집 가고 싶어. 애들하고 안 놀고 싶어."

아이들의 솔직한 마음이 이런 것 같다. 서령이는 다시 아이들에게 갔고 잠시 후 가라사대놀이를 했다. 금방 삐지고 화내다가 화해하고 노는 게 아이들이다.

그런데 오늘따라 모기도 단체 소풍을 나왔는지 사정없이 몰려들었다. 모기들은 눈치가 빨라 뛰어노는 아이들에게는 감히 달라붙지 못하고 만만해 보이는 유림이 동생에게 집중적으로 달려들었다. 이제 슬슬 정리해야 할 때가 온 것 같다.

"얘들아 들어갈 시간이다."

"그네 한 번만 타고요."

그럴 줄 알았다. 에그 그 한 번만. 한 번이 두 번 되고 두 번이 세 번이 되는 걸 참 많이 봤다. 그러나 이번에는 모기 때문에 더 이상 안 되겠다. 땀범벅이 된 아이들과 아쉬운 인사를 했다.

"다음에는 산으로 소풍 가야지."

집으로 돌아오는 길에 서령이가 설레는 듯 말했다. 그런데 오늘따라 똑같은 놀이터가 왜 이렇게 달라 보였을까?

길 위의 놀이터

"할머니 떡볶이, 삼촌이랑 놀기."

서령이가 외갓집에 갈 때면 설렘으로 눈이 반짝거리고 입이 헤 벌어진다. 서울에서 부산까지 외갓집 가는 길이 처음에는 고생길이었다가 서령이가 자라면서 여행길로 바뀌었다. 서령이가 한 살 때는 주로 비행기를 타고 다녀 고생인 줄 몰랐다가 두 살 때부터 기차를 타고 다니면서 그 길이 고생길이란 걸 단박에 깨달았다. 아이가 울거나 보채면 꼼짝 없이 업거나 안고 서성거려야 해서 "여기는 부산역입니다"라는 안내 방송을 얼마나 기다렸는지.

그러다 아이가 자라고 나도 그 길이 익숙해지면서 아이는 길 위의 놀이터를 만들어 나갔고 나도 한결 여유롭게 맞장구를 칠 정도가 되었다. 아이는 문밖을 나서는 그 순간부터 놀기 시작한다.

유치원 여름방학을 맞아 외갓집에 가는 날이었다. 택시를 타기 위해 가는 큰길 곳곳에는 발걸음을 잡아채는 복병이 여기저기에 깔렸다. 먼저 공원을 지날 때는 누가 빨리 뛰어가나 내기를 하고 운동 기구에 올라가서는 빙글빙글 돌고 가게 문에 붙은 걸그룹 멤버를 보면 우뚝 멈춰 서서 한 명 한 명 확인한다. 다행히 오늘은 무사통과했다.

그동안 길거리를 다니며 여러 가지 놀이를 했다. 두세 살 때는 조금 가다 멈춰 나뭇잎 구경하고 조금 가다 멈춰 개미 구경하다 보니 놀이터에서 집으로 가는 길 50~60미터를 가는 데 삼사십 분이 걸리기 일쑤여서 매일 『넉 점 반』이라는 책을 쓰는 기분이었다. 궁금하고 신기한 건 참지 못하고 발걸음을 멈추고 봐야 하는 게 아이들이다. 그뿐인가. 다섯 살 무렵부터는 복도를 걸을 때 금을 밟지 않고 걷는 놀이를 했고 여섯 살 때에는 횡단보도를 건널 때 하얀 부분만 밟았다. 아빠가 까만 부분을 밟기라도 하면 어김없이 "아빠, 괴물 됐어!"라며 큰일 난 듯 외쳤다.

따지고 보면 이게 다 놀이였다. 이럴 때 마음을 비우면 편하게 같이 놀 수 있지만 그게 아니라면 열불 나는 지옥이 따로 없다. 할 일이 쌓였거나 기분이 나쁘거나 피곤할 때면 다짜고짜 화부터 낸다.

"빨리 가지. 할 일 있어. 제발 빨리 가자구."

그러고는 아이보다 몇 걸음 앞서 걸어가다 뒤를 돌아보며 얼굴을 잔뜩 찌푸리고 서령이가 빨리 오기를 기다린다. 그러나 그건 나의 사정일 뿐.

돌이켜 보면 놀이터는 놀이터에만 있지 않았다. 아이가 있는 모든 곳이 놀이터고 흔히 말하는 놀이터는 그런 곳 가운데 하나일 뿐이다.

볼일이 있어 서령이와 함께 서울 한강 근처인 합정 전철역 부근에 간 적이 있다. 일을 마치고 나니 아내와 만나기로 약속한 시간까지는 두어 시간 정도가 남았다.

"한강 보러 갈래? 조금만 걸어가면 한강인데."

"좋아."

한강이란 말에 두 말 없이 좋다는 서령이와 손을 잡고 한강으로 걸었다. 그런데 길가에서 스테인리스로 만든, 자전거 보관 구역을 두른 디귿 자형 구조물을 만났다. 그것을 본 서령이가 갑자기 그곳에 올라서 말을 타더니 다시 그 밑으로 쪼르르 기어 지나갔다. '그래 놀아라. 남는 게 시간인데 뭘.' 몇 번이고 계속하는 아이를 보자 의문이 들었다. '어떻게 아이들은 이렇게 놀 생각을 하지?'

이번에는 당산철교 밑을 지날 때였는데 이곳을 보니까 제법 메아리가 울릴 것 같았다.

"서령이 바보!"

작은 메아리가 다리 밑에서 울렸다.

"아빠 바보!"

딸은 즉시 반격을 했다. 십여 년 전, 아이들과 같이 남산으로 답사를 가면서 작은 터널을 지나며 소리를 질렀는데 어찌나 재미있던지 그때가 떠올랐다. 아빠와 딸은 더 바보가 되기 싫어 경쟁하듯 소리를 질렀다. 절두산 순교성지 입구의 지그재그 계단을 몇 번이나 오르내렸고 순교자 기념탑 앞에서는 몇 명이 부조되었나 몇 번이나 헤아렸는지.

"한 명 두 명… 팔십 명. 아까하고 다른데. 다시 세."

드디어 한강. 설렁설렁 걸어도 이십 분이면 충분한 거리를 한 시간 넘게 걸렸다. 어김없는 '세 배의 법칙'이다. 아이랑 어디를 걸어가면 예상보다 세 배쯤 시간이 더 걸린다는 법칙이다.

부산으로는 가는 기차의 유아동반석에는 아이들이 제법 많았다. 유아동반석! 코레일에서 가장 잘한 일 하나를 꼽자면 역시 유아동반석이다. 아이와 함께 가는 부모의 고민과 아이들 소리 때문에 지옥을 맛본 승객들의 고통을 해결한 최선책이다. 유아동반석을 예약할 땐 꼭 이런 경고가 나온다.

"시끄러울 수 있습니다."

시끄럽고 소란스러운 건 아이들 놀이의 본질이자 핵심이다. 그런데 이 소리는 사람에 따라 전혀 다르게 들린다. 아이를 키우는 부모 입장에서는 당연한 소리여서 그런가 보다 하지만 그렇지 않은 경우에는 어떨까? 이만저만한 소음이 아니다. 사실 나도 그런 부류여서 아이를 키우기 전까지 기차에서 아이 우는 소리를 들으면 귀를 틀어막고 싶을 정도였다. 유아동반석은 마음껏 뛰어도, 소리를 질러도 안 되는 기차에서 그나마 숨통이 트이는 유일한 공간이다.

요즘 기차를 탈 때는 꼭 색연필과 종이를 준비한다. 서령이가 그림 그리기를 좋아해 기차에서 그림을 그리다 보면 시간이 훌쩍 지나간다. 아이가 어렸을 때는 책을 한두 권 챙겨 왔는데 별 쓸모가 없었다. 어렸을 때는 먹거나 자거나 울었고 크면서는 엄마랑 말놀이를 하거나 아빠와 기차 곳곳을 탐험하곤 했다.

앞좌석에는 채 돌이 되지 않은 남자 아이와 엄마가 앉았다. 테이블 위에 유아용 그림책이 네 권이나 쌓인 걸 보니 아이와 처음 기차 여행을 하는구나 싶었다. 다른 자리에 앉은 남자 아이는 자동차 장난감을 가지고 놀고 있었고 초등학교 3학년쯤 되는 아이는 책을 보고 있었다. 몇몇 아이는 출발할 때부터 벌써 엄마 아빠를 구원하는 마법 도구인 스마트폰을 들었다.

그림을 그리기 시작한 서령이가 미처 한 장을 다 그리기 전에 조용하던 기차 안이 갑자기 떠들썩해졌다. 예상대로 앞에 앉은 한 살 아기가 울음을 터뜨렸고 엄마는 책 한 장 펼쳐 보지 못한 채 아기를 안고 자리에서 벌떡 일어나 복도로 나가야 했다. 그 후 엄마는 계속 서성거렸고 시간이 갈수록 지친 기색이 역력했다.

기차와 놀이터의 차이. 기차는 마음껏 뛰고 소리를 지를 수 없는, 다른 사람을 배려해야 하는 공간이어서 늘 조심스럽다. 그렇다고 아예 놀 수 없는 건 아니다.

"아빠, 나 엄마 자는 모습 찍을 거야."

잠든 엄마 얼굴을 보자 서령이가 사진 찍기 놀이를 시작했다. 처음에 서령이가 사진을 찍어 보겠다고 카메라를 달라고 했을 때는 내심 떨어뜨릴까 봐 불안했다. 그래도 직접 찍고 싶어 하는 아이 마음을 꺾고 싶지 않아 조마조마한 마음을 누르고 과감한 척 내주었다. 종종 자기가 찍고

싶은 장면이 나올 때 카메라를 달라고 해 구름도 찍고 저녁노을도 찍었다. 전에는 아이가 무척 답답해 하면 객실 밖으로 나가 이야기를 들려주거나 한바탕 웃곤 했다.

"조용히 안 하면 저 아저씨가 잡아간다."

기차를 타는 시간이 길어지자 한 할머니가 마침 승무원이 지나갈 때 칭얼대는 아이에게 별 효과 없는 협박을 했다. 복도에는 힘겹게 아기를 안고 서성거리는 엄마들이 늘어났다. 지나가던 승무원은 칭얼대는 아이를 보고 손가락을 입에 대며 "쉿. 조용히 해. 떠들면 안 돼"라며 지나갔다. 그러나 지금 아이들은 어른들이 상상하는 것 이상으로 엄청난 인내심을 발휘하는 중이다.

"어휴. 45분이나 남았네."

대구를 지나자 두 시간 사이에 얼굴이 반쪽이 된 그 엄마가 한숨을 내쉬었다.

"책 볼까?"

그 엄마는 혹시나 하고 아이에게 말을 걸어 보지만 역시 아이는 보채기에 바빴다. 그러는 사이 부산역에 도착했다. 모두가 해방되는 순간이다. 부산역에서 내려 에스컬레이터 앞에서 누가 먼저 내려가나 경주를 했다. 서령이는 계단으로, 아빠는 에스컬레이터로.

"아빠, 누가 먼저 가나 내기할까?"

대답할 틈도 없이 서령이는 쏜살같이 계단으로 내려가 천천히 내려오는 아빠를 기다렸다.

"오예. 내가 일등이다."

요즘 에스컬레이터와 계단을 보면 하는, 누가 먼저 내려가나 놀이다. 몇 달 전부터 9층인 집에서 1층까지 자주 걸어 다녔는데, 이제는 계단만 보면 빨리 내려가기로 진화했다.

엄마 아빠에게는 흔한 일상의 풍경을 아이들은 흥미로운 놀이로 만든다. 그러나 중요한 건 엄마 아빠의 맞장구! 맞장구를 쳐주지 않으면 한껏 들뜬 일상놀이는 한순간 물거품처럼 사라진다.

물총놀이

어릴 때 겪었던 짜릿했던 경험은 몸속에 숨어 있다 어느 날 문득 예상치 못한 순간에 가슴을 들뜨게 만든다. 여름날의 물총놀이처럼.

그날 사건의 발단은 서정이의 작고 귀여운 물총이었다. 서정이가 놀이터에 들고나온 물총을 구경하러 둘러선 친구들에게 물총을 쏘기 시작했다. 갑작스레 물세례를 맞은 아이들은 피하려 하지 않고 오히려 한 방울이라도 더 맞으려고 서로 몸을 쑥 내밀었다.

"우리 세수할까?"

물총을 맞던 아이들은 그것으로 부족했는지 순간적으로 새로운 아이디어를 냈다. 서정이는 아이들 손에 물총을 쏴 작은 샘물을 만들고 아이들은 그 물로 땀에 젖은 얼굴을 후다닥 씻었다. 이렇게 노는 게 부러웠을까? 한 형제가 재빨리 집으로 달려가 제법 큰 물총을 들고 쏜살같이 나와 형은 쏘고 동생은 우산으로 막으며 놀이터를 누비고 다녔다. 물총놀이는 보기보다 전염성이 강했다. 서정이에게 물총을 받은 서현이가 물총을 건네받자마자 내 신발에 물총을 쐈다.

"물총 맞은 사람은 쥐가 되는데."

"우-우~."

"진짜라니까. 내일 아저씨 대신 쥐가 나올지 몰라."

설마하면서도 진짜일지 모른다는 아이들 얼굴 표정이 재미있다. 아이들은 놀러 가고 이제는 서정이 할머니가 서정이 물총을 받았는데 나와 이야기를 하면서도 한 손으로는 계속 바닥을 향해 쏘는 것이 아닌가.

"해보니까 재미있네요."

어렸을 때 운동장을 누비며 물총을 쏘던 기억이, 몽골 여행을 하다 만난 아이들이 떠올랐다. 8년 전 몽골로 여행을 갔을 때 한 동료가 아이들 줄 선물로 물총을 가지고 와 사람들에게 놀림을 당했다.

"물도 부족한 몽골에, 더군다나 고비사막으로 가는 데 웬 물총!"

여행 막바지에 사막의 작은 오아시스 마을에 들렸다. 여기를 떠나면 물총을 선물할 일이 없어 아이들에게 나눠 줬는데 잠시 후 아이들이 물을 담아 여기저기서 물총을 쏘기 시작했다. 사막에서 물총의 물을 맞아 흠뻑 젖다니. 그때 물총놀이는 사막의 아이들을 춤추게 했다.

그래 내일 이거 하자. 내일 다섯 시 공원 언덕에서 모두 모여 물총놀이를 하기로 결정했다. 이날 저녁 서령이가 심각한 표정으로 조심스레 물었다.

"아빠, 쥐 되는 거 사실이야?"

"음, 비밀이야."

드디어 비밀이 밝혀지는 날이 밝았다. 그런데 이게 웬일인가, 갑자기 비가 쏟아졌다. '물총놀이 못하면 아이들이 실망할 텐데'라는 걱정을 하는 사이 하늘이 다시 맑게 개었다.

"난 저걸로 해야지."

서령이 마음은 눈을 뜰 때부터 이미 공원에 가 있어 일어나자마자 노란 물총을 가리켰다. 오후에 작은 물총 세 개, 아이들에게 물을 공급할 큰 물통을 앞뒤로 흔들며 서령이를 만나러 유치원으로 갔다. 옛날에는 대나무로 물총을 만들었는데 요즘은 시대가 바뀌어 기관총 수준의 물총까지 등장했다.

공원 언덕에는 아직 아무도 오시 않았다. 누가 먼저 오려나 궁금해하는데 잠시 후 아이들이 도착해 드디어 기본적인 멤버가 구성되었다. '이제 시작할 수 있겠구나, 나도 설레는데 아이들은 얼마나 신날까.'

"얘들아 물 뜨러 가자."

아이들은 가벼운 흥분에 싸여 한 아이가 뛰자 다들 공원 수돗가로 우르르 몰려갔다. 지금 내가 할 일은 물통에 물이 떨어지지 않게 물 채워 주고 초반에 아이들의 표적이 되어 분위기를 팍팍 띄우는 거다. 당연히 옷은 다 젖겠지.

"얘들아!"

큰 소리로 외치며 뛰어가자 예상대로 아이들이 물총을 쏘아 대며 앞서거니 뒤서거니 따라왔다. 아이들에게 집중 공격을 받자 옷이 금세 젖

었다. 예열을 마친 물총놀이는 이제부터 진짜다. 아이들은 자기들끼리 쏘고 도망가고 뛰고 쏘고 또 달렸다. 아이들을 보던 나도 가끔 페트병에 물을 담아 아이들에게 뿌리거나 분수처럼 하늘로 물을 쏘아 떨어뜨렸다. 그럴 때마다 아이들은 "하지 마요!"라면서도 피할 생각은 조금도 하지 않고 오히려 가만히 서서 시원한 물세례를 받았다.

이번에는 언덕 저편에 같은 유치원에 다니는 남자 친구들이 나타나자 또 다들 달려가 물총을 쏘아 댔다. 그 아이들이 사라지는가 싶더니 어느새 집에서 물총을 가져왔다. 이제 공원은 유치원 아이들이 종횡무진 뛰어다니며 물총을 쏘는 놀이터가 되었다. 나무 뒤에 숨었다가 재빨리 물총을 쏘고 바람처럼 사라지기도 하고, 한 아이를 집중적으로 쏘기도 했다. 물총을 흠뻑 맞은 아이는 이내 울상이 되었다가 다른 아이에게 물총을 쏘면서 깔깔거렸다. 순식간에 희비가 교차하는 만큼 아이들 옷은 빠르게 젖어 갔고 물통을 나르는 내 발걸음도 점점 빨라졌다.

자기들끼리 정신없이 놀던 아이들은 이제 따로 놀기도 하고 같이 놀기도 하다 새로운 목표를 찾았다. 공원 언덕에서 물총놀이를 지켜보던 엄마들이 아이들 눈에 들어왔다. 엄마들이 사태를 눈치채지 못하는 사이 아이들은 엄마들에게 물총을 들고 재빨리 달려갔다. 엄마들이 상황을 파악했을 때는 이미 늦었다. 물총에서 발사된 물은 힘차게 엄마들에게 날아갔다.

"쏘지 마!"

엄마들의 외침을 뒤로한 채 아이들은 득의양양하게 숲으로 뛰어갔다. 이어 여자 아이들은 여자 아이들끼리 놀고 남자 아이들은 남자 아이들끼리 놀았다. 특히 남자 아이들은 콸콸 넘치는 에너지로 공원 곳곳을 누비고 다녔다. 뛰노는 남자 아이들을 보자 나도 슬슬 에너지가 솟아올랐다.

이제 물통은 그만 나르고 나도 뛰어 볼까. 옛날 생각만 믿고 남자 아이들과 물총놀이를 시작했는데 예상과 다르게 사방에서 물총이 날아왔다. 정신은 혼미해지고 체력은 이미 방전되었다. 함부로 나설 일이 아니었다.

"타임!"

숨을 몰아쉬며 잠시 쉬려는데 아이들에게는 아무런 소용없다. 이러다가는 물총놀이 하다 쓰러졌다고 동네 엄마 통신에 나올지 모른다. 이럴 땐 아이들의 관심을 돌리는 게 상책이다. 마침 땅바닥에 굴러다니던 모과를 재빨리 나무에 올려놓았다.

"얘들아, 모과 떨어뜨려 보자."

한꺼번에 아이들이 몰려와 사정없이 물총을 쏘았지만 비웃기라도 하듯 모과는 꿈쩍도 하지 않았다. 관심도 돌리고 힘도 빼고 일석이조다. 그럴수록 아이들은 더 격렬하게 물총을 쏘았지만 이렇게 하다가는 날이 저물 때까지 도저히 떨어뜨릴 수 없다는 걸 알았는지 아예 물총의 물통을 떼어 내 모과를 향해 던졌다.

"아저씨, 떨어졌어요!"

"대단한데."

그 사이 서현이 엄마가 계란을 삶아 왔다. 지친 아이들이 정신없이 계란을 먹을 동안 잠시간의 평화가 찾아왔다. 분명히 인류의 평화는 먹을거리에서 온다.

물총놀이를 시작한 지 한 시간 반쯤 흘렀다. 흙에 물을 뿌려 그림을 그리던 여자 아이들이 외쳤다.

"박승정 오줌 쌌다."

물총에 젖은 승정이 바지를 보고 여자 아이들이 놀리니까 승정이 눈길이 내게 향했다.

"아저씨도 오줌 쌌어요."

이런···.

"맞아. 아저씨 오줌 쌌는데."

물총놀이가 시들해질 무렵 아이들이 새로운 놀이를 찾았다. 남자 아이들이 물통에 든 물을 쏟자 그 물이 언덕을 따라 흘렀고 그 순간 아이들은 물로 물길을 만들 수 있다는 사실을 발견했다.

아이들이 큰 물통을 들고 수돗가로 뛰어갔다. 물을 통에 가득 담아들려고 하다 꿈쩍도 하지 않자 물을 쏟아 3분의 1쯤 남긴 뒤 두 명이서 맞잡아 들고 물통을 언덕으로 옮겼다. 다시 언덕에 물을 붓기 시작하자 곁에서 놀던 여자 아이들이 외쳤다.

"물 낭비 하지 마. 지구가 아프잖아. 너희들이 물 만들어 내!"

"우리가 어떻게 물을 만드냐?"

물 낭비라고 소리치는 아이들과 물이 만드는 길이 신기한 아이들, 동시에 두 세계가 공존했다. 물을 쏟아 붓는 아이들은 물길이 배수관까지 흘러내려 갈 때까지 몇 번이고 물을 길어 와 쏟아 붓기를 멈추지 않았다.

흙 범벅이 된 아이들이 수돗가에서 씻은 후 물총놀이 도구들을 정리하니 많이 어두워졌다.

"서령이 아빠 다 젖었네요."

"놀다 보면 그렇죠."

지금까지 아이들과 같이 놀면서 이렇게 힘든 때가 있었나 싶었다. 게다가 전날 잠도 잘 자지 못해 빨리 집에 가 누울 생각만 가득한데 서령이가 "아빠, 상어놀이 하자!"라며 나를 잡아끌었다.

휴우, 아이들은 역시 네버 엔딩이다.

여름 2

아이들의 놀이터 사용법

역시 아이들은 놀이터 최고의 마법사다. 어른 눈에는 이것이나 그것이나, 어제나 오늘이나 별 다르지 않은 놀이터를 새로운 놀이로 채우고 그 세계에 온몸을 내맡긴다.

어느 날 저녁 무렵 놀이터에 황희 아빠기 큰아들과 배드민턴을 치고 있었다. 처음에는 "팅" 하고 배드민턴 채를 떠난 공의 궤적을 따라 고개를 돌리며 구경하던 어느 아이가 어느 순간 벌떡 일어나 공이 채를 튕겨 나갈 때마다 공을 따라 두 사람 사이를 가로질러 뛰어갔다. 그런데 그 순간 신기한 일이 일어났다. 한 명이 뛰자 곁에서 구경하던 아이들도 덩달아 소리를 지르며 시계추처럼 왔다갔다를 반복하는 게 아닌가. 그 모습이 꼭 어부의 그물을 피해 이리저리 물살을 헤치며 숨 가쁘게 달아나는 물고기들 같다. 물론 서령이도 그 물고기 가운데 한 마리였다.

"배드민턴 치는데 앞에서 다니는 거 아니야!"

곁에선 어른들이 뭐라 해도 이미 놀이에 빠진 아이들 귀에 그 소리는 들어오지 않았다. 아이들도 웃고, 배드민턴을 치는 황희 아빠도 웃고,

나도 웃었다. 공이 공중에 떠 있을 때만 다른 세계로 가는 문이 열리는 마법의 세계를 아이들이 순식간에 만들었다. 어른과 아이의 눈은 달라 아이들은 날마다 새롭게 놀이터를 활용했다. 이미 그네와 시소는 어른들이 혀를 내두를 정도로 다양한 놀이 버전을 개발했다.

그네가 개인전이라고 한다면 놀이터 한가운데를 차지한 복합놀이대는 한꺼번에 종합 종목이 이루어지는 단체전의 무대다. 복합놀이대는 계단 두 개, 미끄럼틀 두 개, 동그랗게 말린 원통형 미끄럼틀, 손을 잡고 건너는 구름사다리, 놀이기구를 잇는 구름다리로 이루어졌다. 아이들은 이곳에서 많이 노는데, 많을 때는 한꺼번에 스무 명 이상이 복작거린다.

복합놀이대 놀이는 계단에 오르는 일부터 시작한다. 산이 있으니까 거기에 오른다는 말처럼 걷기 시작한 아이들은 계단이 거기 있으니까 기어서 오른다. 이럴 때 곁에선 엄마나 할머니는 조마조마하다. 혹시라도 떨어질까 봐, 큰 아이와 부딪힐까 봐 아이에게서 눈을 뗄 수 없다. 그러다가 아이가 삐끗하기라도 하면 빛의 속도로 달려간다.

구름다리는 아이들의 다목적 공간이다. 다른 기구로 가는 이동로이자 철퍼덕 앉으면 이야기를 나누고 역할놀이를 하며 게임을 할 수 있는 무대로 변신한다. 때로는 어른들과 놀이를 할 때 안심하고 피할 수 있는 훌륭한 안전지대가 된다. 가끔은 바깥 난간을 붙잡고 게걸음으로 다리를 건너는 새로운 도전을 하는 도전장이기도 하다. 구름이 다양한 모습으로 바뀌는 것처럼 구름다리도 순간순간 변신을 거듭한다.

뭐니 뭐니 해도 복합놀이대의 꽃은 원통형 미끄럼틀이다. 이것은 최근에 생긴 놀이기구로 가장 다양하게 활용된다. 아이들이 이 원통을 타고 내려가기만 한다면 굳이 엄마들이 소리를 지를 일이 없다. 그러나 아이들이 누구인가? 개척정신으로 똘똘 뭉친 탐험가 아닌가! 원통 안을 오르내리던 아이들은 더 이상 참지 못하고 원통 바깥으로 나가 원통을 오르내리기 시작한다. 소리 지르며 때로는 높은 산 등산하듯 등산가처럼 가장 높은 곳에 올라가 호기롭게 놀이터를 굽어본다. 처음에는 초등학교 4학년이나 나이 어린 남자 아이들이 용기를 자랑하러 올라가는 곳이었다.

그런데 요즘에는 그 모습을 본 서령이와 친구들도 기어오른다. 아이들은 어른들의 걱정에 아랑곳하지 않고 싱글벙글하며 한껏 기분을 누리다 천천히 내려온다. 이 원통은 비 오는 날이면 집에 들어가기 싫은 아이들의 비밀 아지트가 된다. 원통에 쏙 들어가면 아늑하고 게다가 빗소리마저 음악처럼 들린다.

놀이터는 놀이기구가 주인공이 아니라 아이들이 주인공이다. 놀이터에서 아이들 놀이는 단지 놀이기구에 한정되지 않는다. 놀이터 자체가 뛰어난 놀이기구이자 무대다.

요즘 아이들이 가장 많이 하는 놀이는 '경찰과 도둑'이다. 이 놀이는 모든 놀이의 기본이다. 이름만 바꾸면 괴물놀이, 개미귀신놀이, 상어놀이가 된다. 놀이터 나무와 화단을 이용해서 스테디 놀이인 '무궁화꽃이

피었습니다'와 '꼭꼭 숨어라 머리카락 보인다' 놀이를 한다. 그뿐인가. 놀이터 한 켠 흙이 있는 곳에서는 예나 지금이나 땅을 파는 흙놀이를 한다. 아이들은 땅만 보면 본능적으로 파는데, 먹을 것을 찾는 선사인의 본능이 숨 쉬고 있는 게 아닌가 싶다.

요즘 인기를 끌고 있는 허수아비아저씨도 그렇다. 아이들은 "허수아비아저씨"라고 외치며 일곱 번 뛰고 술래는 "허수아비아저"까지만 외치며 여섯 번 뛴다. 술래가 아이들을 잡으려고 손을 뻗으면 아이들은 "나 잡지 마!"라고 비명을 지르며 잡히지 않으려고 몸을 뒤틀거나 엉덩이를 빼 슬금슬금 뒤로 가기도 한다. 이때 아이들은 체조선수 못지않은 유연성을 자랑한다. 이런 노력에도 불구하고 술래가 자기를 "딱" 치는 순간 아이 표정은 돌변해 거의 울 듯한 원망스런 얼굴로 술래를 노려본다.

가끔 남자 아이들은 총이라든가 딱지 같은 놀이도구를 가지고 나온다. 놀이터 바닥에 철퍼덕 앉은 아이들은 딱지치기를 한다. 이 놀이는 주로, 아니 거의 남자 아이들이 하는데 고무로 만든 캐릭터 딱지를 쳐서 넘기면 내 것이 되는 옛날 종이딱지 놀이와 같다. 이때 아이들에게 "야, 잘하는데!"라며 말을 걸면 아이들은 "우리 집에 백 개도 넘게 있어요!"라며 자랑하기에 바쁘다. 줄넘기를 가지고 오면 줄넘기 놀이를 하고 비눗방울 도구를 가지고 오면 비눗방울 놀이를 한다.

아이들의 놀이터 활용법에 끝이란 없다. 아이들은 나이가 들어 현실이라는 경계선으로 넘어오기 전까지 상상의 세계에서 새로운 놀이를 만

들고 실험하고 개선한다. 어른들의 예상을 뛰어넘는 곳에 아이들의 놀이
가 있다.

소나기가 준 선물

먹구름이 순식간에 하늘을 가득 덮었다. 소나기는 놀이터에 어떤 일을 몰고 올까?

"이러다 왕창 비 오는 거 아냐?"

밖에서 볼일을 보고 있는데 무섭게 비가 쏟아지기 시작했다. 게다가 천둥 번개가 치고 바람까지 세차게 불었다. 아마 동네 놀이터도 이 비를 피하진 못했겠다. 서둘러 외출을 마치고 서령이를 데리러 유치원에 갔다.

"두 시에 간 아이들이 유치원 차를 타러 가는 잠깐 사이에 옷이 모두 젖었어."

배웅하는 선생님이 서령이에게 말했다. 유치원에서 차를 타는 곳까지 길어야 이십여 미터인데. 집이 코앞인 서령이는 유치원 문을 나서자마자 가방을 내게 던지고 우샤인 볼트처럼 유치원 곁에 있는 놀이터로 튀어 갔다. 비 온 직후여서인지 놀이터에는 작은 물웅덩이가 생겼고 몇몇 아이늘은 물을 만난 물고기처럼 사방으로 물방울을 튀겨 대며 그곳을 뛰어다녔다.

서령이는 어김없이 그네를 먼저 타고 이어서 미끄럼틀로 뛰어갔다. 미끄럼틀 끝에는 살짝 물이 고였다. 잠시 후 황희가 오자 둘이서 뭔가 속닥거리며 모의를 하더니 다정하게 나를 불렀다.

"아빠!"

그쪽으로 가자 갑자기 물방울이 날아들었다. 미끄럼틀 끝에 있는 물을 손에 묻히고는 내게 털어 댔다. 깔깔거리며 계속 물 공격하는 아이들.

"하지 말어. 더러운 물이잖아."

깜짝 놀란 황희 할머니가 애써 말려 보시지만 한번 맛들인 아이들 놀이를 말릴 수는 없었다. 할 만큼 했는지 서령이는 내 옷에 자기 손을 쓱 문지르더니 이내 물웅덩이로 뛰어갔다. 왜 안 가나 싶었다. 웅덩이를 힘차게 날아올라 건너뛰고 다시 힘차게 날아올라 건너뛰기를 계속했다. 물을 본 아이들은 왜 이런 걸까? 엄마 배 속의 양수를 몸으로 기억하기 때문일까, 아니면 모든 생명의 원초적 고향인 바다를 그리워하기 때문일까.

"아빠!"

잠시 생각에 빠진 사이 다급한 소리가 들렸다. 물을 건너던 서령이가 발을 잘못 디뎌 넘어지면서 오줌을 눈 것처럼 엉덩이가 젖었다.

"놀다 보면 말라. 괜찮아."

"어떻게 좀 해봐!"

한 손으로는 엉덩이에 착 달라붙은 바지를 떼며 서령이가 말했다. 어떻게 해보기는 그냥 놀아야지 뭘. 그사이 황희 할머니가 주신 휴지로 대충 물기를 쓱쓱 닦아 냈다. 다시 다른 친구들을 만나 경도놀이(경찰과 도둑 놀이), 허수아비아저씨 놀이, 그네를 타는 사이 다섯 살쯤 되는 아이들이 우르르 물웅덩이를 텀벙거리며 뛰어다녔다. 순식간에 주변에 있던 아이들 옷이 흠뻑 젖었다. 옷이 젖건 말건 아이들 얼굴은 웃음으로 가득했다.

"물 튀긴다, 애들아!"

지나가던 정장을 잘 차려 입은 아주머니가 물을 피하며 말했지만 그 말이 아이들 귀에 들어올 리가 있나. 이럴 때는 아주머니가 살짝 돌아가는 수밖에.

"아저씨 저 좀 보세요."

이번에는 자전거를 타고 온 아이들이 웅덩이 물살을 가르며 내달렸다. 자전거에 물이 닿자 계곡을 가르듯 물방울이 사방으로 흩어졌다. 아이들이 자전거를 타고 왔다갔다 하다 어느새 물살을 가르는 그 맛을 알았다. 텀벙거리며 물웅덩이를 휘어잡던 작은 아이들이 집으로 들어갔다.

이제 놀이터가 조용해질까 싶었는데 아니었다. 갑자기 아이들이 물웅덩이 앞에 일렬로 늘어서 앉았는데 마치 옛날 개울가에 늘어서 빨래를 하는 아낙들 같다. 아이들은 뭔가를 씻고 있는 중이었다. 가까이 다가가 보니까 풀과 나뭇잎이었다.

"서령아, 뭐 하는 거야?"

서령이는 씻기에 푹 빠져 들지 못했다. 옆에 있던 채원이에게 물었다.

"채원아, 뭐 하는 거야?"

"몰라요. 얘들이 씻으래요."

모른다고? 나뭇잎을 씻은 아이들은 다시 작은 나무로 뛰어가 나뭇잎을 땄다. 요즘 선사시대 역사를 공부하고 있는 터라 선사인들이 열매를 따는 채집경제가 떠올랐다. 다시 물웅덩이로 와서 씻고 다시 따러 가고 다시 씻는 사이 날이 어두워져 아이들이 하나둘 집으로 돌아가더니 나중에는 서령이와 서정이 단 둘만 남았다. 아이들은 하던 일을 멈추지 않았다. 도대체 무엇을 하길래 시간 가는 줄도 모를까?

"아빠, 이거 묶어 주세요."

서령이 손에는 물웅덩이에서 정성스레 씻은 풀이 들렸다. 식당놀이를 하려는 걸까. 풀을 끈 삼아 묶어 보려 했지만 자꾸 끊어지자 내게 내민 것이다.

"그래, 묶어 줄게."

급한 대로 공책의 종이를 찢어 꼬아서 끈을 만들어 풀을 묶었다. 서령이가 다시 풀을 가져왔다.

"아빠, 묶어 주세요."

하나를 묶기 무섭게 아이들이 다른 걸 묶어 달란다. 소꿉놀이에 쓸 재료란다. 다른 날 하던 소꿉놀이와 달리 오늘은 진짜 물에 박박 씻어서 음식을 준비했다. 어떻게 이런 생각을 했을까?

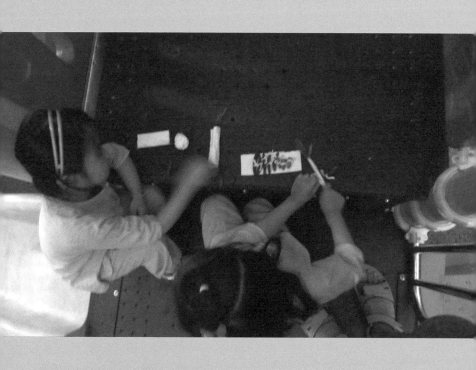

날이 완전히 어두워지자 이번에는 숨어 있던 모기들이 나타나 잔치를 벌였다.

"머리를 흔들면서 해."

유난히 모기에게 많이 물리는 서정이에게 할머니가 말씀하셨다. 아이들은 자주 머리를 흔들어 모기와 싸우며 야무지게 음식을 준비했다. 나비효과가 이런 건가. 소나기가 웅덩이를 만들었고 아이들 소꿉놀이를 하게 했다. 모기도 잊고 밤도 잊고 배고픔도 잊고 아이들은 음식 준비에 몰입했다. 아이들은 탁자에서 준비한 음식을 조심스럽게 놀이기구 위 아지트로 하나둘 날랐다. 음식을 다 차리자 보람에 찬 목소리로 외쳤다.

"식당 열었습니다. 어서 오세요."

내게는 오랜 기다림이 끝난다는 소리였고 드디어 집에 갈 수 있다는 신호였다. 기쁜 건 아이들뿐만이 아니었다. 서정이 할머니와 부리나케 놀이기구로 올라갔고 음식을 차린 아이들은 뿌듯한 얼굴로 손님을 맞았다. 그곳에는 저녁 내내 따고 씻고 묶고 장식한 음식들이 가지런히 늘어섰다.

"여기에 온 게 처음이네."

웃음 띤 서정이 할머니가 말씀하셨다. 아마 서정이가 아니었다면 이곳에 올라올 일이 없으셨을 텐데.

"맛있게 드세요."

"잘 먹겠습니다."

놀이터에서 저녁을 먹었다. 할머니는 냠냠, 나는 쩝쩝. 그 모습을 아이들이 벅찬 눈으로 바라보고 있었다.

위험과 모험 사이

　서령이가 처음으로 원통형 미끄럼틀 밖을 기어서 높은 꼭대기까지 올라간 다음 날이었다.

　"나 거기(미끄럼틀 꼭대기)까지 올라갈 수 있는데. 근데 어른들이 올라가지 말래."

　"그랬어? 위험해 보이니까."

　"노는 건 어른들이 노는 게 아니잖아. 우리들이 노는 거잖아."

　"올라가보니까 어땠어?"

　"좋았어. 학생 같있어. 왠지 학생 같았다구."

　"언니 오빠들 하는 거 직접 하니까 뿌듯했구나?"

　놀이터에서 아이들이 어른들에게 자주 듣는 말은?

　"안 돼, 위험해, 하지 마, 이럴 거면 들어가자."

　놀라고 만든 놀이터에서 가장 많이 듣는 말이 "하지 말라"다. 아이들 입장에서는 그저 놀았을 뿐인데. 동상이몽인가? 어른들 경고를 무시하고 계속하는 배짱 좋은 아이는 많지 않다. 경고를 무시하고서 계속하면 당장 어른들이 화들짝 놀라 출동할 테고 다음에는 더 따가운 잔소리를 줄곧 들어야 한다. 심할 때는 "다음부터 놀이터에 나오지 마!"라는 무시무시한 말을 들을 수도 있다.

어른들은 아이들이 어떤 상황에 처하게 될지 몰라 늘 촉수를 곤두세운다. 무엇보다 보호자이기 때문에 뒤통수에도 눈을 달아야 한다. 다른 사람들과 이야기에 빠져 있는 것 같지만 자기 아이에게서 눈을 떼지 않는다. 놀이터의 어른들은 때로는 아이들에게 어떤 위험도 허락하지 않으려는 전사들 같다. 어른들이 실내 놀이터를 찾는 이유 가운데 하나가 아이들 안전을 크게 신경 쓰지 않아도 되기 때문이다.

놀이터에서 어른들이 긴급 출동하는 장면을 자주 본다. 제일 민감한 곳은 그네. 작은 아이가 그네 앞으로 갈 때 그네와 부딪힐 수 있어서 만약 아이가 순식간에 그 앞으로 가면 어른들은 화들짝 놀라 달려온다. 이때는 보호자가 아니더라도 먼저 아이를 안전한 곳으로 데려다주어야 한다.

"너무 높이 올라가지 마."

하늘 높은 줄 모르고 솟구치는 아이를 보고 있으면 나조차 가슴이 철렁할 때가 있다. 그러나 정작 아이들은 웃음이 가득하다. 놀이는 긴장감이 클수록 재미가 커진다. 몇 해 전 한 아이가 하늘 높이 올라갔다 그만 손을 놓쳐 그대로 떨어졌다. 안타깝게 그 아이는 팔이 부러져 구급차에 실려 갔다. 한동안 그네만 보면 이 장면이 떠올랐다.

어디 그네뿐인가. 구름사다리 위로 올라가거나 건너려고 할 때도 마찬가지다. 올라갈 때 발이 미끄러지면 균형을 잃고 떨어지고 사다리를 건너려고 손을 옮기다가 그만 손을 놓치면 떨어지면서 발이 삐끗할 수 있다. 상상만으로도 아찔하다. 그래서 어른들은 아이들에게 경고한다.

"조심해. 발 다칠 수 있어."

아이들은 하고 싶은 본능과 어른의 경고 사이에서 갈등한다. 한번은 엄마 눈치를 보던 한 아이가 엄마가 보지 않는 틈을 타 후다닥 구름사다리 위를 걸어서 건너가 버렸다. 그러다가 발이나 손을 삐끗하기라도 하면 어김없이 이런 말을 듣기 십상이다.

"내가 이럴 줄 알았어. 하지 말라고 했잖아."

그리고 대망의 원통형 미끄럼틀 꼭대기. 이곳은 놀이터에서 올라갈 수 있는 가장 높은 곳이다. 이곳에 올라가는 건 놀이터 아이들의 로망이다. 그러나 이곳에서 놀라고 설계를 하지 않았기 때문에 당연히 안전장치 같은 건 기대하기 어렵고 오로지 자기 몸을 믿는 수밖에 없다. 서령이가 이곳에 두 번째 올라간 날이었다. 이 모습을 걱정하는 주위의 우려에 "저도 걱정되기는 하는데 뭐 저러면서 크는 거죠"라고 말했다. 사실 나도 떨어지면 어쩌나 싶었지만 아이가 이곳 오르기에 도전할 때까지 무수히 노력했다는 걸 떠올리면 저 정도는 괜찮지 않을까 싶었다. 그러나 만약 아내가 직접 이 장면을 봤다면 깜짝 놀랐을 것이다.

서령이가 원통형 미끄럼틀 바깥을 타고 꼭대기에 오를 때까지 어떤 과

정을 겪었을까. 가장 필요한 건 균형 잡기. 어렸을 때부터 공원에 있는 평균대에 올라가 걷는 놀이를 했다. 가다 떨어지면 다시 올라서 걷고 상대방이 오면 내려서 다시 걸었다. 어떤 날은 평균대가 아니라 공원 경계석을 밟고 걸었다. 유치원에서는 한 발로 서기를 배웠다. 비교적 높은 곳에서 걷기 역시 끊임없이 했던 놀이다. 요즘에는 구름사다리 건너기와 구름다리 바깥 난간 잡고 걷기를 했다. 몇 년 동안 높이에 대한 적응훈련을 한 셈이다. 원통에 올라간 건 구름다리 난간을 자신 있게 건넌 후였다. 서령이에게는 도전할 다음 대상이 필요했고, 그것이 높이에 대한 자신감과 균형 감각이 필요한 원통형 미끄럼틀 꼭대기 오르기였다.

내가 모르는 사이 서령이는 차곡차곡 준비를 한 셈이었다.

이런 말이 있다.

"위험한 놀이터가 안전하다."

"작게 다쳐야 크게 다치지 않는다."

지금은 나름대로 이해할 수 있지만 처음 읽었을 때는 선뜻 이해하거나 동의하기 어려웠다.

"어렸을 때 친구가 정글짐에 올라갔다가 떨어져 다쳤어요."

아이가 하루 종일 놀이터에서 노는 지인과 놀이터의 위험에 대해 이야기하다 불쑥 어린 시절 친구 이야기를 들려주었다. 놀다가 자기가 다치거나 다른 사람이 다치는 걸 본 적이 있는 사람은 그 경험으로 아이들 놀이를 본다. 사고가 일어날 확률이 많고 적고의 문제가 아니다. 내게

사고가 한 번이라도 일어났거나 본 적이 있다면 그건 언제라도 내 아이에게 일어날 수 있는 문제라고 여긴다. 그래서 나나 다른 어른들이나 가급적이면 안전하게 통제할 수 있는 상황을 만들려고 애쓴다. 잔소리쟁이 어른은 그렇게 탄생한다.

서령이가 네 살 때 내 가슴 높이쯤 되는 외나무다리를 건너다 그만 떨어지고 말았다. 순간적으로 일어난 일이라 아이를 잡을 겨를조차 없었다. 떨어진 아이가 펑펑 우는데 다친 것보다는 너무 놀라서 우는 것 같았다.

"서령아, 많이 놀랐지. 아빠도 어렸을 때 떨어지곤 했어."

조금 후 서령이는 울음을 그치고 안도하는 표정이었다.

'네 잘못이 아니라 누구나 그럴 수 있는 일이야. 다시 하면 되고 지금 안 되어도 나중에는 할 수 있어.'

이 일은 내게 적지 않은 영향을 끼쳤다. 그 후 서령이가 넘어지거나 다쳐도 서령이에게 화를 내기보다는 먼저 서령이 마음을 살피려고 노력했다. 작년에는 놀다가 다쳐 왼쪽 다리 깁스를 두 번, 왼쪽 팔 깁스를 한 번 했을 때 "그러니까 다치지. 뛰지 마!"라는 말 대신 "놀다 보면 다칠 수도 있지. 그렇지만 조심해"라고 말했다. 말린다고 놀지 않을 것도 아니고 이왕 놀 거면 서령이나 나나 마음 편하자고 그랬다.

오늘도 원통형 미끄럼틀 속으로 세 살 먹은 아이가 기어 올라가려고 애쓰고 있다.

"계단으로 올라가서 (통으로) 내려가라고 했잖아."

한 엄마가 이 말과 동시에 원통에서 아이를 번쩍 꺼내 내려놓았다. 이 때 이렇게 말해 보면 어떨까?

"통으로 올라가고 싶었구나. 한번 올라가 봐. 엄마가 뒤에서 보고 있을 게."

아이들과 친구 되기

놀이터에 있으면서 아이들과 스스럼없이 지내고 싶었다.

놀이터에는 늘 서령이 친구 서너 명은 놀고 있었고 하루에 한 번은 아이들과 괴물놀이라든가 다른 놀이를 하면서 한바탕 뛰어놀았고 그러면서 조금씩 친해졌다. 신기한 건 아이들과 놀 때 나도 힘이 번쩍번쩍 난다는 점이다. 만약 놀아 주려고만 했다면 무척 힘들었을 텐데. '같이 놀기'는 아이들과 계속 놀 수 있는 가장 강력한 힘이 아닌가 싶다.

아이들과 친해지면 아이들은 거리낌 없이 다가와 부탁을 한다.

"아저씨, 그네 밀어 주세요. 아저씨, 괴물놀이 해요."

아이들이 이 말을 하면 간혹 "아저씨 힘들어!"라든가 "밀어 주지 마세요. 버릇돼요!"라며 할머니나 엄마가 말하는 경우가 생긴다. 그럴 때마다 진심으로 "괜찮아요. 힘들지 않아요. 재미있어요"라고 말한다. 혹은 남자 아이들이 막대기로 나를 공격할 때 다시 기겁을 하고 말리려고 하면 "괜찮아요. 다 이러고 노는 거죠"라며 다시 논다. 이럴 때면 어렸을 때 막대기 들고 총싸움하고 칼싸움했던 기억이 새록새록 하다. 그렇지

만 가끔은 남자 아이들 여럿이 한꺼번에 우르르 몰려들면 도망가지 않는 척하면서 슬슬 꽁무니를 뺀다. 이때 아이들 얼굴을 보면 아이들은 내가 용감하게 물리쳐야 할 진짜 괴물로 보이는 건 아닌가 싶기도 하다.

아무래도 사람 사이의 경계를 허무는 데 놀이만 한 게 없는 것 같다. 같이 뛰고 흥분하고 도망 다니고 따라다니다 보면 어느덧 긴장은 스르르 사라지고 그러면 한층 벽이 낮아진다. 같은 공간과 시간 안에서 같은 경험을 한다는 게 사람에게는 어떤 동질감을 주는 것 같다. 놀이는 아이들이 다른 아이들과 친구가 되는 좋은 방법이고 나 같은 젊지 않은 어른이 놀이터에서 아이들과 친구가 될 수 있는 길이다.

서령이 친구들과 술래잡기나 괴물놀이를 할 때 가끔 모르는 아이가 같이 흥분해 뛰는 일이 생긴다. 우르르 몰려가는 아이들 틈에 갑자기 모르는 아이가 같이 뛰어가면 "같이 놀자"라며 일부러 그 아이를 천천히 그러나 숨을 헐떡이는 척 뒤따라간다. 그럴 때 그 아이는 흥분해서 비명을 지르거나 목이 터지도록 웃는다.

봄부터 여름까지 놀이터에서 여러 아이들을 만났다. 새로 이사 온 서령이 친구 서현이와 언니인 지유는 놀이터에서 놀면서 자연스럽게 친해졌다. 그리고 서령이보다 한 살 많은 채은이는 어렸을 때부터 얼굴을 알던 아이였는데 정작 친해진 건 얼마 전 놀이터에서였다.

그때 놀이터에서 도레미 시소를 타고 있었다.

"아저씨, 저도 태워 주세요."

곁에서 지켜보던 채은이가 건넨 첫마디였다. 다음 날부터 놀이터에 놀러 와 시소를 태워 달라고, 그네를 밀어 달라고 부탁했다. 채은이는 모험심이 많아서인지 그네를 탈 때나 시소를 탈 때나 한결같이 이렇게 외쳤다.

"더 힘차게!"

우렁찬 이 말은 묘한 구석이 있어서 내가 더 힘을 얻는 것 같았다. 그 뒤로 채은이는 서령이 친구들과 같이 놀기도 하고 서령이 혼자 있을 때는 서령이와 같이 놀았다.

이렇게 해서 채은이 언니인 채원이와 그 친구들을 알았다. 이 친구들은 비교적 큰 아이들이라 놀이터에 머무는 시간이 길지 않았다. 놀이터에 있을 때는 주로 그네를 많이 탔는데, 이럴 때면 이런 부탁을 한다.

"서령이 아저씨, 밀어 주세요. 무섭게 밀어 주세요."

동생은 '힘차게', 언니는 '무섭게'였다.

아이가 딸이다 보니 주로 여자 아이들과 놀 일이 많다. 서령이 남자 친구들은 여자 아이들과 같이 놀다가도 놀이터는 좁은지 어느새 놀이터를 벗어나 널찍한 공원으로 진출한다. 놀이 반경이 훨씬 넓다. 남자 아이들이 딱지치기를 할 때가 이야기를 나누기 참 좋다. 처음에는 가만히 보다가 한마디 한다.

"와! 힘 좋다. 딱지가 훌렁 넘어갔네. 딱지치기 잘한다."

그러면 그때부터 아이의 입이 활짝 열린다. 아이는 집에 딱지가 몇 장

있는지, 이 딱지는 뭔지, 어느 딱지를 아끼는지 줄줄이 말해 준다.

그런데 사실은 아이들과 놀 때 쉬지 않고 놀기는 어렵다. 체력적으로도 그렇고 어른과 같이 놀다가도 자기들끼리 놀 때가 있기 마련이다. 이런 때는 분위기를 보면 아는데 "아저씨는 이제 쉬어야겠다"라면서 슬며시 빠져나온다. 이때는 쉴 수 있고 아이들이 어떻게 노는지 잘 살펴볼 수 있는 귀중한 시간이다. 그러다가 다시 같이 놀아야겠다는 느낌이 들 때면 또 어느 순간 같이 끼어서 논다. 아이들이 끼워 주지 않고 자기들끼리만 논다고 할 때도 있지만.

일단 아이들과 놀이를 시작하면 이것저것 따지지 않고 같이 놀려고 노력한다. 아이들은 어른이지만 동등한 입장에서 같이 노는 친구가 필요하다. 놀다가 자꾸 아이들 놀이에 이러쿵저러쿵 끼어들면 아이들은 같이 놀고 싶은 마음이 사라진다. 그리고 이렇게 말한다.

"아저씨랑 안 놀아요!"

새로운 놀이터로 주 무대를 옮겼을 때 매일 나와 노는 한 아이가 보였다. 시간이 지나면서 그 아이를 볼 때마다 말을 걸었다. "와, 잘 달리는데, 진짜 높이 탄다" 등등. 그러던 어느 날 괴물놀이를 같이했는데, 발이 어찌나 빠른지 도저히 따라잡을 수가 없었다. "진짜 빠르다. 아저씨가 우샤인 볼트보다 빠른데 잡을 수가 없네." 놀이를 하면서 점점 친해지고 나중에는 "아저씨, 저 내일부터 안 나와요. 할머니 댁에 가요"라며 자기 일을 미주알고주알 늘어놓았다. 이 아이와 친해지면서 아이를 미리 판단하지 말고 때로는 먼저 이야기를 건네고 또 때로는 그저 이야기를 들어주는 것의 중요성을 새삼 알았다.

놀이터에서는 종종 아이들 사이에 다툼이나 말싸움이 벌어진다. 이때 아이들은 억울하다 싶으면 근처에 있는 어른을 찾아와 하소연을 하기도 한다.

"재네들이 나랑 안 놀아 줘요. 자기들끼리 놀아요."

이런 일이 생길 때마다 먼저 그 마음을 헤아리자고 마음먹는다. 이야기가 끝나면 "그래서 서운했구나, 마음이 아팠구나, 슬펐구나"라는 공감의 말을 건네려고 한다. 그런데 신기하게 아이들은 이런 말을 들으면 대부분 마음이 풀린다. 문제가 심각할 때(사실 이 상황은 주관적인 판단이지만)가 아니라면 이 정도 선에서 마무리하면 아이들은 또 같이 놀고 또 화내고 그러다 화해하고 그런다. 아이들에게는 그럴 힘이 있고 그러면서 큰다.

가끔은 아이들 사이에 일어난 문제를 해결해야 할 상황이 생긴다. 억울한 일이 생기지 않게 하려고 하지만 늘 뜻대로 되는 건 아니다. 어른들처럼 아이들도 자기 입장에서 말하는 일이 있기 때문에 전후 맥락을 잘 모르면 제대로 판단 내리기 어려운 경우가 있다. 또 그 장면을 지속적으로 지켜보지 못한 채 일부만 보거나 혹은 보지 못한 상태에서 선입견으로 이리저리 추측하다 오해하기도 한다. 때로는 아이들 이야기를 너무 심각하게 받아들여 문제를 더욱 어렵게 만든다. 이런저런 일을 겪으면서 내린 결론은 미리 판단하지 말고 먼저 아이들 이야기를 객관적으로 골고루 귀담아듣기였다.

놀이터에서 새로운 아이가 보이면 그 아이가 어떻게 노는지 유심히 보는 버릇이 생겼다. 친구들과 같이 노는 아이들은 신경이 덜 가지만 혼자 노는 아이들은 왠지 마음이 쓰인다. 친구와 함께 놀아야 신나게 노는데 혼자라면 심심하다. 예전 같으면 동생도 같이 노는 깍두기 같은 놀이문화가 있었는데 지금은 찾아보기 어렵다. 이럴 땐 가끔 그 아이에게 간다.

"아저씨랑 같이 놀까?"

한여름의 꿈

"얼굴이 왜 그렇게 까매졌어요?"

"좀 탔죠."

오랜만에 나를 본 사람들은 내가 어디라도 갔다 왔냐는 듯 묻는다. 나도 몽골이나 네팔이나 그런 데 좀 다녀왔으면 좋겠다. 그러나 나는 놀이터에 다녀왔다.

"놀이터에서 노느라고요."

이번 여름 놀이터가 내게 준 훈장은 검은 얼굴과 샌들 자국이 난 얼룩말 같은 발등이다.

봄이 지나 여름이 되면서 점점 해가 길어졌다. 해가 길어진다는 게 어떤 뜻인지 아이를 키우면서 실감했다. 어른들이 더 바빠진다는 이야기다. 지금은 하지 않지만 옛날에 해가 길어지면 서머타임이란 걸 한 적이 있듯 놀이터도 놀이터 타임이 시작된다. 해가 질 때까지가 아니라 해가 진 후에도 아이들은 놀려고 든다. 일곱 시 반에서 여덟 시로, 다시 여덟 시 반으로, 아홉 시로. 심지어 아홉 시에 집에 들어갔다 다시 나오는 아이까지 있다.

　이 시간에 집에 들어가면 뭐를 할 수 있을까. 딱 두 가지다. 아이들은 씻고 자는 것. 그렇다면 집안일은? 그대로다. 놀이터에서 놀았다고 집안일이 마법처럼 사라지는 건 아니니까 아이가 잠든 다음에 쌓여 있는 집안일을 하는 수밖에 없다. 어떤 사람들은 늦게까지 하지만 나는 아이가 잠드는 순간 집안일을 그대로 두고 잠깐이라도 글을 쓴다.

　그러면 남은 집안일은 어떻게 하지? 가능한 한 아침에 몰아서 하기 때문에 아침에는 엉덩이를 방바닥에 붙일 틈이 없다. 저녁에 먹을거리 대충 준비해 놓고 방 청소 하고 빨래 널고 개다 보면 유치원 갈 시간이다. 아침이 바쁘면 하루가 여유롭고 아침이 게으르면 하루가 허둥지둥한다. 그렇게 열심히 집안일을 하지 않는 것에 관대한 성격이어서가 아니라 저절로 그렇게 되었다. 처음에는 보기 괴로웠던 발 디딜 틈 없는 거실을 봐도 이제는 그냥 일상의 풍경이겠거니 싶다. 땀 뻘뻘 흘리고 치워도 딱 10분만 지나면 10분 전 상황과 똑같아진다는 걸 충분히 잘 안다.

　유치원을 마치고 달이 뜨고 놀이터의 가로등이 환하게 켜지고 나서도 끝까지 노는 아이들을 보면 '그래. 열심히 놀아라. 너희들 할 일은 노는 거야'라고 생각을 한다. 그러다가 불현듯 밀린 집안일이나 마음 어지러운 일이 떠오르거나 배가 고프면 말이 그다지 곱게 나오지 않는다.

　"이제 좀 들어가자. 아빠 배고파!"

　이렇게 말하는데도 들어갈 낌새조차 보이지 않으면

"배고파 쓰러지겠어!"

라고 소리치고 그럼 서령이는 "그래 들어가자"라며 오랜만에 통 크게 합의를 해준다. 이제 아빠의 마음을 알아서 그러는 걸까?

"배꼽시계가 자꾸 울리거든."

그럼 그렇지 니 배가 고프니까 그런 거였지. 이런 날은 밥을 먹자마자 "아빠, 나 졸려"라는 말이 끝나기 무섭게 쓰러져 잔다. 그림책을 읽어 주지 않아도 되는 건 놀이터에 오래 있어 수고했다는 보너스다.

여름은 덥다. 가만히 있어도 더운데 쉬지 않고 움직이는 아이들은 금세 땀이 줄줄 흘러 머리며 옷이며 흠뻑 젖는다. 그리고 연신 달려와 물을 찾는다.

"아빠, 물."

좀 친한 아이들도

"아저씨, 물 있어요?"

란다. 그래서 놀이터에 나갈 때면 물을 넉넉하게 챙겨 물병 두 개는 기본이다.

"다른 애들도 먹어야 하니까 입 대지 말고 먹어."

여러 명이 먹다 보면 금방 떨어진다. 이럴 때가 들어가자고 할 결정적인 순간이다.

"이제 물 없다. 물 먹으려면 집에 들어가야 해."

그러면 아이들이 '아 그렇구나' 하고 집으로 들어갈까? 아니다. 참을 수 있는 데까지 어떻게 해서든 참는다. 그렇지만 이때에도 어른들은 한 줄기 희망을 놓지 않는다. '물이 떨어졌으니까 빨리 들어가겠지.' 그러나 아이들은 목마른 그 순간에도 놀이에 푹 빠졌다.

"허수아비아저씨 하자!"

여름철 필수 준비물은 물뿐만이 아니다. 모기기피제가 필요하다. 놀이터 근처에 풀이 많고 가까운 곳에 산이 있어서인지 모기가 더 왕성하게 활동한다. 놀이터에 있다 보면 보통 한두 방씩 물린다. 어른들은 모기기피제를 가져와 아이들에게 거의 살포 수준으로 뿌려 주지만 그래도 물리는 아이는 꼭 물린다.

"이러다 모기밥 되겠어!"

모기는 아이들을 집으로 데려가기 위한 그럴 듯한 이유다.

"모기밥 되기 전에 들어가자!"

그러나 대부분 아이들은 차라리 모기밥이 될지언정 하고 있는 놀이를 포기하지 않는다. 거의 100퍼센트다. 놀 때는 모기에게 관심 쏟을 겨를이 없으니까.

땀범벅이 된 아이를 집으로 데리고 들어가면 또 다른 난관이 기다린다. 씻기는 일과 머리 빗기는 일. 머리가 길면 머리가 서로 꼬여 웬만해서는 빗기가 쉽지 않다. 빗으로 빗어 주다가 "아차" 싶으면 바로 서령이가 소리친다.

"빗은 머리 빗으라고 있는 거야! 뽑으라고 있는 게 아니고!"

"그러니까 머리 짧게 자르면 좋잖아."

그러나 서령이는 머리카락을 자를 마음이 조금도 없어 이럴 때는 차라리 머리 빗기를 포기한다.

"아빠, 머리카락 안 잘라도 키가 크지?"

공원에서 만난 서령이 친구 고모가 머리카락으로 영양분이 가서 키가 크지 않는다며 키가 크려면 머리카락을 잘라야 한다고 말했단다. 어쨌든 머리카락은 한여름 풀이 쑥쑥 크듯 이번 여름 내내 쭉쭉 자랐다.

이렇게 서령이와 씨름하면서 여름날이 지나간다. 잔뜩 흐린 하늘에서 비가 내리기 시작한다.

우아한 저녁이 있는 삶

바람이 불고 나무가 일렁거린다. 고흐의 나무 그림처럼 풍경이 이리저리 흔들린다. 고니는 이 바람을 일으키는 태풍 이름이다. '곤히'라는 발음과 비슷하게 들려 잔잔할 것 같지만 애초에 그럴 거면 태풍이 아니었을 것이다. 출렁이듯 일렁이는 나무를 보고 있으면 뭔가 기분이 좋다.

"서령아, 나무 좀 봐. 아빠는 저런 나무 보면 기분이 좋다."

"그래? 왜?"

"살아 있는 거 같아서."

"나무 살아 있거든요!"

그래, 맞다 살아 있지. 지금은 저녁 여섯 시가 조금 넘었다. 다른 날 이때쯤이라면 놀이터에서 한창 놀 시간인데 비바람이 불어서 놀이터에 나가지 못했다. 서령이는 어제 산 비즈를 병에 섞어 놓고 마법의 구슬이라며 깔깔거리며 좋아한다. 오랜만에 이렇게 집에 있으니까 무척 여유롭다. 시간에 쫓겨 동동거리며 집안일을 하지 않아서 좋다. 이러니 엄마들이 놀이터에서 다들 일찍 집에 들어가려고 하지.

"엄마, 밥해야 돼. 이따 아빠랑 놀아!"

며칠 전 한 엄마가 아이에게 집에 가자며 말했다. 그때 "밥해야 돼"라는 말에 격하게 공감했다. 그 시간에 해야만 하는 일이고 또 누가 대신해 줄 수 없는 일이다.

어제는 유치원을 마치고 아주 잠깐 놀이터에 나갔다. 아침에는 비즈 구슬로 모빌을 만들고는 분명히 "다섯 시에 집에 와서 또 꾸며야지"라고 했는데 유치원이 끝나자마자 비즈 생각은 온데간데없다.

'그러면 그렇지. 그냥 집에 갈 리가 있나.'

마침 그네가 텅 비었다. 정수기 점검을 온다고 해서 놀이터에는 오래 있지 못하는 걸 서령이도 잘 안다.

"아빠, 저기 서정이."

놀이터 끝에서 서정이가 서령이를 물끄러미 바라보고 있었다.

"서정이 목이 부어서 열나고 그랬어요. 유치원에도 못 갔어요."

그랬구나. 쉬어야 낫는데도 서정이 눈빛은 놀고 싶다고 간절하게 말하는 중이었다.

"서령이도 일이 있어서 일찍 들어가야 해. 잘 쉬고 내일 보자."

그렇게 서정이는 집으로 들어가고 그네를 타던 서령이도 집으로 돌아왔다.

오늘은 유치원을 나서다 친구인 서현이를 만났다.

"엄마, 서령이랑 놀이터에서 놀면 안 돼?"

아이들은 비가 와도 친구를 보면 마구 놀고 싶어지나 보다. 하지만 서령이도 서현이도 우산을 쓰고 각자 집으로 터덜터덜 돌아갔다.

"이제 밥 좀 해볼까."

슬슬 밥을 하려다가 서령이가 그린 그림을 발견했다. 교통카드보다 작은 그림인데 해와 달이 보인다.

"서령아, 해하고 달하고 그릴 때 해를 오른쪽에 그려? 해를 보통 이쪽 (오른쪽)에 많이 그리더라."

"해와 달을 그릴 땐 그래. 서울역사박물관 갔는데 달신이 이쪽에 있었고 해신이 이쪽에 있어서 그렇게 그렸어."

서령이는 서울역사박물관에서 본 〈일월오봉도 병풍〉을 말하고 있는 중이었다. 해를 오른쪽에 달을 왼쪽에 그린 까닭에 대해 이야기를 나누다 해를 상징하는 까마귀 이야기로 넘어가고 이어서 칠월 칠석까지 나오자 서령이가 한 가지 제안을 했다.

"아빠, 견우직녀 그리사."

서령이는 냉큼 종이를 가져와 자리를 잡고 그리기 시작했다.

"아빠, 다 될 때까지 내 그림 보면 안 돼."

서령이는 견우와 직녀를 그리고 나는 구름다리와 구름 위에 있는 궁전을 그렸다. 사람을 잘 그리지 못하는 까닭에 선녀는 얼굴만 겨우 그리고 기와를 그리기 시작했다.

"아빠, 이렇게 그려."

아빠 그림을 슬쩍 본 서령이가 기와가 마음에 들지 않았는지 자기 손톱을 들어 보이며 이 손톱 곡선처럼 기와를 그리라며 코치를 했다. 서령이의 조언대로 기와를 그리기 시작했고 서령이가 선녀 옷에 그린 용을 따라서 집 기둥을 용으로 장식했다. 3층 지붕, 2층 지붕, 1층 지붕에 끝없이 기왓장을 그리자니 점점 팔이 아파 왔다.

"팔 너무 아프다."

이 말을 들은 서령이가 나 대신 구름다리 아래를 그려 주다가 갑자기 멈췄다.

"아빠 잘 그렸다. 엄마가 아빠 그림 보면 잘 그렸다고 할 거야."

"아빠는 서령이가 훨씬 잘 그린 것 같은데. 그림이 살아 있잖아."

팔이 아프고 다리도 저려 더 이상 그리지 못하고 하다 만 저녁을 지으러 갔다. 오늘은 밥이랑 반찬이랑 모든 준비가 여유롭다. 양파를 벗기고 감자를 볶고 떡갈비를 데우고 두부를 부쳤다. 오랜만에 누리는 평일 저녁의 호사다.

"밥 먹자."

그런데 식탁에 앉은 서령이 젓가락질이 영 시원치 않다. 반찬이 맛이 없나. 갑자기 서령이가 자리에서 벌떡 일어나 냉장고 앞으로 갔다.

"아빠, 춤추고 밥 먹어도 돼?"

"응."

다른 때 같으면 밥 먼저 먹으라고 했겠지만 밖에서 놀지 못해 그러라

2015. 8. 25.

고 했다. 아이유의 리메이크 곡이 흘러나왔다. 노래를 따라 몸이 움직이는데, 노래에 몸이 본능적으로 반응하는 것 같다.

"쓸쓸하던 그 골목을 당신은 기억하십니까? 지금도 난 기억합니다."

그렇게 한 곡이 끝나고 두 곡이 끝나고 "마음이 울적하고 답답할 땐 산으로 올라가 소릴 한번 질러 봐"를 마지막으로 비로소 자리에 앉았다. 한껏 몸을 풀어서 이제는 밥을 잘 먹을 줄 알았는데 몇 숟가락 먹더니 그것으로 끝이다.

"서령아, 밖에서 못 놀아서 밥맛이 없어?"

"응. 밖에서 놀면 배꼽시계가 빨리 왔다갔다 하는데."

방금 전까지는 여유가 있고 우아한 저녁을 보내는 것 같았는데 막상 이런 말을 들으니까 영 마음이 편하지 않다. 아이들에게 몸으로 논다는 것은 도대체 뭘까. 그냥 본능이라고 말할 수밖에. 몇 년 전 아파서 이틀 동안 아무것도 먹지 못한 서령이가 놀이터를 보자마자 달려가 두 시간을 내리 노는 것을 보고 확신했다. 이건 본능이라고.

서령이는 지금 놀이터에서 마음껏 놀지 못해 마음이 울적하고 답답한가 보다. 내일은 태풍이 다 지나간단다. 그러면 비바람이 그치고 다시 놀이터에 나갈 수 있다. 5일 만에 놀이터에서 친구들을 만나겠지.

놀이터의 불금

"들어가자고 안 하면 계속 놀걸요. 한번 언제까지 노나 볼까요?"

오늘은 놀이터의 불금이다. 다른 날과 달리 오늘만큼은 어른이 먼저 들어가자는 말을 하지 않기로 했다. 돌이켜 보면 늘 어른들이 먼저 들어가자고 했지 아이들이 먼저 들어가자고 한 적이 없다. 그래 놀고 싶을 때까지 놀아 봐라. 직장인만 불금이 있을까, 놀이터에도 불금이 있다.

불금이라고 마음먹으니까 다른 때와 달리 부담이 없고 마음이 편했다. 내일이 토요일이어서 그렇고 아이들과 들어가자는 실랑이를 벌일 일이 없어서 그렇다. 아이들은 무엇을 하고 놀지, 얼마만큼 놀아야 놀았다고 만족할지, 언제쯤 들어가자고 할지 궁금하고 설렜다. 솔직히 말하자면 아이들만큼이나 이날을 기다렸다.

"아빠 몇 시야?"

서령이는 모이기로 약속한 두 시간 전부터 줄기차게 물었다. "세 시, 네 시, 네 시 반, 다섯 시!"

드디어 다섯 시 정각이 되자마자 서령이가 밝고 명랑한 "렛츠 고" 외침과 함께 후다닥 집을 나와 승리의 소식을 전하려는 마라톤 벌판의 전사처럼 놀이터로 뛰어갔다. 뒤이어 서현이네 가족, 서정이네 가족이 놀이터에 나타났다. 어른들은 늦게 들어갈 작정을 해서인지 한결 여유롭게 아이들을 지켜보았다. 어느새 아이들 셋은 삼총사가 되어 철봉에 대롱대롱 매달리다 선생님놀이를 시작했다.

"자, 배낭 다 챙겨 왔죠? 오늘은 우주 박물관에 갈 거예요."

오늘도 구름다리는 멋진 우주선 의자가 되고 원통형 미끄럼틀은 순식간에 조정석이 되었다. 우주선 탐험을 마친 아이들은 뒤이어 마녀놀이를 시작했다. 규칙은 간단해서 가위바위보로 진 사람이 마녀가 되고 이긴 사람은 마녀가 기르는 강아지가 되었다. 마녀는 진짜 마녀처럼 말투가 사뭇 명령조였다.

마녀가 강아지들을 데리고 다니는 사이 유림이가 와 마녀놀이는 끝나고 이번에는 술래잡기 차례였다. 술래잡기를 하다 "술래네 아니네" 하는 작은 소동이 일어나 술래잡기는 끝나고 이번에는 그네를 탔다. 꼬리에 꼬리를 물고 놀이를 하면서 싸우고 삐지고 화해하고 놀다 또 싸우고 깔깔거리며 웃는 아이들이다. 뭐 어른들 인생이라고 아이들과 크게 다르지 않을 것 같지만 결정적으로 다른 점 하나는 바로 이것이다. 어른들은 쉽게 화해하지 못하고 끙끙 끌어안고 가는 일이 많다는 것! 그냥 인정하고 받아들이면 더 이상 집착하거나 신경 쓰지 않을 텐데, 지나고 보면 별것 아닌 일에 얼마나 많은 에너지를 쏟으며 애써 아닌 척하며 사는지 모른다.

"나 안 먹을래."

황희 아빠가 직접 버터를 발라 구운 옥수수를 가지고 나왔는데, 이걸 먹은 아이들 반응이 영 떨떠름하다. 인사치레란 걸 잘 모르는 아이들은 가끔 너무 솔직해 민망하게 만든다.

"먹어 봐. 맛있어."

애써 말했지만 아이들은 "먹기 싫어요"라며 원통형 미끄럼틀로 올라갔다. 맛만 좋구먼.

"방금 전에 복숭아하고 포도 먹어서 그래요."

맛이 없는 게 아니라 배가 부른 거였다. 달달한 옥수수를 먹고 있는데 어디선가 익숙한 노래가 들려왔다.

"당신은 사랑받기 위해 태어난 사람…."

아이들이다. 웬 노래일까?

"우리 공연합니다. 빨리 오세요."

아이들 초대를 받은 어른들이 공연을 보기 위해 복합놀이대 앞으로 모이자 원통형 미끄럼틀을 북처럼 두드리며 맑은 목소리로 노래를 시작했다.

"당신은 사랑받기 위해 태어난 사람…."

아이들은 이때 왜 이 노래를 불렀을까. 놀이터에, 내 마음에 사랑이 퍼져 나며 나도 몰래 뭉클해졌고 노래를 듣던 어른들 얼굴이 환하게 밝아졌다. 서령이가 태어나서 지금까지 거르지 않던 말이 "서령아, 사랑해"가 아니었을까?

노래가 끝나자 유림이가 얼른 빵집을 열어 갓 구운 빵을 맛있게 먹는 척했다. 아이 키우며 자신 있게 할 수 있는 게 진짜로 맛있게 먹는 척을 하는 건데 이럴 때 빛을 발한다.

"아저씨, 진짜 먹는 거 같아요. 진짜 줘야 할 거 같아요."

황희가 신기하다는 듯 입을 오물거리는 나를 쳐다보았다.

어느새 해는 넘어갔고 놀이터를 비추는 가로등 불빛이 들어왔다. 애네들은 정말 지치지 않나 보다.

"니가 노는데 아빠가 왜 힘들지?"

"아빠는 안 노니까 힘들지. 어서 놀아. 안 힘들게."

서령이 말대로 안 놀고 팔짱을 끼고 구경해서 힘든가 보다. 힘이 넘치는 아이들이 이번에는 제자리에서 빙글빙글 돌기 시작했다. 저건 또 뭐하는 걸까.

"그냥 돌면 돼. 자기가 지치면 앉으면 돼."

누가 누가 오래 돌기다. 아이들 각오가 대단하다.

"잘 때까지 돌 거야."

"어지러운데 참고 할 거야."

아이들은 놀이공원 빙글빙글 컵처럼 한참을 돌더니 돌 만큼 돌았는지 한 명 두 명 차례로 땅에 쓰러져 벌렁 누웠다. 아이들에게 없는 말은 "적

당히 알아서"임에 틀림없다.

"우리 운동장 갈까?"

점점 모기가 늘어나 놀이터에 더 머물다가는 맛있는 모기밥이 되겠다. 어둠이 깔린 운동장으로 가자 가슴이 탁 트였다. 나만 그런 게 아닌지 아이들은 신발 던지기, 푸른 하늘 은하수, 우리 집에 왜 왔니 왜 왔니, 여우야 여우야 뭐 하니, 늑대야 늑대야 지금 몇 시니 놀이를 끝없이 했다. 이 놀이를 할 때는 어른들도 옛 기억이 떠올랐는지 아이들 틈에 끼여 아이들만큼 소리를 질렀다. 놀이기구 하나 없는 운동장에서도 아이들은 결코 쉬지 않았다. 시간은 어느새 여덟 시가 훨씬 넘어 깜깜해졌다.

"이제 피자 먹으러 가요."

'피자'라는 말을 듣자 아이들은 운동장이 흔들릴 듯 환호성을 질렀다.

피자를 먹고 다른 놀이터를 지나치는 길이었다.

"조금만 더 놀다 갈까?"

서현이 엄마 말에 흥분한 서령이에게 장난을 쳤다.

"서령아, 우리는 그냥 집으로 갈 거야."

"응. 그럼 아빠가 놀아 줘야 해."

"그래? 그럼 여기서 놀아."

놀이터에서 마저 놀고 깔깔거리며 놀다 집으로 돌아오는 아이들은 샤워를 한 듯 온통 땀범벅이었다. 집으로 돌아와 보니 서령이 발이 붉게 물들었다.

"아빠, 불발 됐어."

불타는 금요일에 서령이는 불발이 되었다. 불금이 필요한 건 어른뿐만 아니었다.

여름 3

역할놀이

놀이터에서는 매일 연극판이 벌어진다. 제목, 관객, 시나리오, 근사한 공연장이 없고 게다가 공연은 하지 않는 이상한 연극판이다. 그러나 참여 배우들은 그런 것에 연연하지 않고 혼을 담아 연기한다. 공연하지 않는 연극, 그게 뭘까?

"얘들아 우리 엄마놀이 할까!"

아이들이 둘, 특히 셋 이상 모이면 대개 한 아이가 역할놀이를 제안한다. 그러면 아이들이 저마다 하고 싶은 역할을 쏜살같이 말한다.

"나는 엄마, 나는 아빠, 나는 큰언니."

이 과정에서 캐스팅을 둘러싼 잡음은 별로 없다. 연극에서는 중요한 배역이 있고 그렇지 않은 배역이 있지만 여기에서는 배역만 있을 뿐 누구나 주연이다. 엄마 아빠라고 해서 주인공이 아니고 아이라고 해서 더군다나 조연이 아니다. 배역을 비중이 큰가 작은가라는 가치판단의 눈으로 보지 않아 어떤 역할이건 별로 따지지 않는다. 어떤 때는 주인과 강아지 놀이를 하는데 강아지를 맡아서 더 좋아하기도 한다.

일단 역할놀이에 들어가면 자연스럽게 진행될 상황이 설정된다. 한 아이가 "우리 소꿉놀이 하자, 우리 음식 만들자, 우리 이 썩었다고 하자, 우리 여행 간다고 하자, 누구 생일이라고 하자" 그러면 다른 아이들은 거기에 맞게 상황을 끌어간다. 역할놀이에서 연장자를 맡은 아이들(엄마나 선생님 등)이 이야기를 꺼내면 드디어 대본 없는, 언제 끝날지 모르는 역할놀이 시작이다.

　역할놀이를 하는 아이들을 보면 깜짝 놀란다. 그 역할을 연기하는 게 아니라 그 자체가 된다. 주저하는 게 없다. 강아지 역할을 맡은 아이는 놀이터나 운동장을 네 발로 기어 다니며 컹컹 짖고 갓난아기 역할을 맡은 아이는 "응애 응애" 울고 환자 역할을 맡은 아이는 숨이 꼴까닥 넘어간다. 아이들에게 역할놀이의 배역은 진실이다.

　한번은 서령이가 친구와 함께 공원 화장실에 갔다 운동장으로 가서 강아지 놀이를 했다.

　"잔디밭에 가서 뛰어놀아."

　강아지 역할을 하는 아이는 주저 없이 네 발로 기어서 "왈왈" 짖으며 운동장을 뛰어갔다. 어른들이 딱 이 장면만 봤다면 '도대체 왜 저러지!' 라며 황당해 할 만하다.

　아이들이 그 배역에 몰입할 수 있는 건 따지는 게 별로 없어서다. 따지는 게 많을수록 생각이 많아지고 행동을 주저하게 만든다. 만약 어른이 강아지를 해야 한다면 아무 생각 없이 강아지가 될 수 있을까.

"아빠, 선생님놀이 하자"라며 서령이가 제안할 때 "무슨 선생님놀이는 유치하게. 낯간지러워서 어디 하겠나"라며 괜스레 헛웃음을 지을 때가 있다. 이 나이에 유치원생이라니. 그러면 하기 싫고 하더라도 재미가 없다.

아이들은 역할놀이를 재미있게 만드는 비법을 안다. 실제로 상황이 그렇다고 믿는 것. 비행기를 타고 가다 눈보라를 만나면 실제로 눈보라를 만난 것처럼 다급하고, 엄마가 음식 재료를 구하라면 실제로 정신없이 나뭇잎이나 열매를 따고, 만든 음식을 먹자면 미슐랭 쓰리 스타 레스토랑 음식처럼 맛나게 먹고, 이를 뽑을 땐 온갖 인상을 쓴다. 그 순간 아이들은 누구보다 진지하다. 아이들은 상상의 세계를 실제로 만드는 마법사다.

아이들 역할놀이는 어디서든 가능하다. 연극 무대처럼 정해진 장소가 아니라 아이들이 있는 곳이 무대인 셈이다. 시소에 누우면 병원놀이를 할 수 있고 탁자에 앉으면 가족놀이를 할 수 있다. 원통형 미끄럼틀은 우주선이 되고 아지트는 마녀의 성이 된다.

어느 날 탁자에 서령이, 예은이 그리고 한 살 많은 언니가 마주 앉았다. 언니는 엄마, 예은이는 첫째, 서령이는 둘째였다.

"오늘은 상담할 거야. 첫째, 너는 엄마가 가라고 하면 가고 가지 말라고 하면 가지 마."

"네."

엄마 상담 놀이를 하던 아이들은 친구인 신우가 오자 숲으로 달려가 이번에는 가족 역할놀이로 주제를 바꾸었다. 예은이가 엄마, 서령이와 신우가 아이들이다.

"애기 좀 봐라."

"아니 싫어요. 엄마가 봐요."

"엄마 수영하고 올 테니까 집 잘 지켜."

잠시 후 아이들은 음식을 만들기 시작했다. 샌드위치를 만든다고 아이들은 나뭇잎과 열매를 모았고 샌드위치를 다 만들자 딸 역할을 하는 서령이가 말했다.

"이제 샌드위치 먹어 볼까나."

"얘야, 이제 잘 시간이잖아."

엄마인 예은이는 늦은 시간에 샌드위치 먹는 걸 말렸다. 잠시 후 예은이는 요리를 계속하고 서령이와 신우는 열매를 계속 땄다. 그러는 사이 다른 친구들이 우르르 몰려왔다. 서령이와 신우가 아이들이 가져온 줄넘기를 하고 공을 차며 음식 재료를 준비하지 않으니까 예은이가 큰 소리쳤다.

"너희들 음식 준비 해야지. 재료 찾아야지!"

그 소리에 다시 음식을 만드는데, 그 손끝이 자못 섬세하다.

한번은 서령이와 예은이가 착한 사람, 나는 나쁜 사람이 되어 감옥놀이를 했다.

"(예은) 여기는 착한 사람이 갇힐 수 있어."

"(서령) 여기서 영원히 못 나가는 거로 될 수도 있어. 근데 우리는 영원히 못 나가게 됐지. 근데 우정의 힘으론 나갈 수 있지."

나를 보더니,

"(예은) 아저씨가 도둑인데 어떻게 여기를 들어올 수 있지?"

역할놀이는 혼자 있을 때라고 멈추지 않는다. 집에서 서령이는 여러 배역을 맡아 목소리를 바꿔 가며 논다. 어느 날 아침 작은 인형에게 말을 건넸다.

"키티 일어나. 오늘은 샤워하는 날이다."

이건 내가 서령이에게 하던 말툰데.

"얘는 샤워가 빨라서 좋겠다."

물 대신 솔로 인형을 샤워시켜 주며 인형이 부러운 듯 말했다. 자기는 날마다 아빠와 샤워를 하네 마네, 빨리 하네 천천히 하네로 실랑이를 벌이는데.

왜 아이들은 끊임없이 역할놀이를 할까. 서령이가 밖에서는 친구들과 역할놀이를 하고 집에서는 선생님놀이를 하거나 혼자 인형을 가지고 여러 가지 역할을 하며 논다. 사람은 살아가면서 다양한 역할을 맡는데 아마 이 놀이를 통해 다양한 역할을 미리 연습해 보는 게 아닐까. 또 엄마, 아빠, 선생님 등 자기보다 권위 있고 힘이 세 보이는 역할을 해보고 싶은 욕구가 한몫하지 않을까. 역할을 바꾸었을 때 누리는 통쾌함을 느끼는 건 아닐까. 그러면서 스트레스를 푸는가 보다.

한 해 한 해 해가 가면서 아이들은 점점 역할놀이를 하지 않는다. 상상의 세계에서 현실 세계로 넘어오고 어느 순간 상상의 세계는 유치하다고 여긴다. 누군가 예술가는 이 상상의 세계에 머문 사람이라고 했다. 아이가 지금 역할놀이를 하고 있다면 그건 예술가의 창조성이 한껏 드러나고 있다는 뜻이다. 어른들이 보기에 유치해 보이는 세계에서 사는 게 아이들이다. 그러나 유치해 보이는 이 상상의 세계가 어른이라고 없을까. 영화, 소설, 미술, 음악이 그런 세계인데.

역할놀이가 정말 재미있는지 궁금했다.

"서령아, 역할놀이가 진짜 재미있어?"

"재미있어."

우문에 현답이다. 오늘은 또 어떤 놀이를 할까?

이제 제발 들어가자

날마다 놀이터에서 아이들이 어른들, 특히 엄마들에게 자주 듣는 말은 뭘까? 이 질문이 어렵다면 아이들이 놀이터에서 듣기 싫어하는 말은?

"이제 들어가자."

이 말을 듣는 순간 아이들의 반응은 두 가지다. 순순히 들어가거나 "싫어!"라고 기싸움을 벌이며 저항하는 것. "싫어"를 다른 말로 바꾸면 "난 더 놀고 싶다구요"라는 뜻과 아울러 "엄마는 왜 내 말은 듣지 않고 맘대로 결정하냐구요!"쯤 될 것 같다. 그럼 "이제 들어가자"는 엄마의 말은? "놀 만큼 놀았잖니!", "밥하고 빨래 개고 집안일이 밀려 있단다", "노는 거 그만하고 공부할 시간이야", "넌 재미있겠지만 난 지루해 죽겠어", "봐줄 만큼 봐주고 기다릴 만큼 기다렸단 말이야!"

놀이터에서 "싫어"와 "이제 들어가자"는 "사느냐 죽느냐 그것이 문제로다"만큼 어려운 고민이다.

엄마들은 아이들과 놀이터에 나올 때 '오늘은 언제쯤 들어가야지'라는 시간 계산을 한다. 대개 그 시간에 집에 들어가야 별 탈 없이 하루가 마무리된다. 반면 그 시간을 넘기면 이런 일이 생긴다.

"밥도 허겁지겁하고 반찬은 못해요. 그래서 아이가 늦게 들어가는 날이면 내일은 일찍 데리고 와야지 하지만 막상 내일이 되면 어쩔 수가 없어요."

들어갈 시간을 정하는 엄마들의 전술은? 나올 때 언제 들어간다고 미리 알려 주거나 적당히 시간이 지나면 몇 분 후에 들어갈 거라고 말해 주는 것이다. 이렇게 말하지만 막상 그 순간 "예" 하고 들어가는 아이보다는 "싫어"라는 아이가 훨씬 많다. 마음대로 상황이 흘러가지 않으면 엄마들은 아빠 카드를 쓴다. "아빠 밥 준비해야 한다, 아빠 왔어, 아빠가 오면 다시 나와"라거나 아빠가 일찍 퇴근하는 경우 아빠들에게 보호자 역할을 넘긴다. 때로는 "집에 맛있는 거 있다"며 먹을 것으로 아이들을 데리고 들어가려고 한다.

엄마들의 전술에는 날씨와 계절이 영향을 준다. 비 올 때가 제일 좋다. 아이들은 말하지 않아도 들어가야 하는 걸 안다. 땀을 많이 흘리는 여름에는 아이들이 쉽게 목이 마른다.

"엄마, 물!"

"물 없다. 들어가자."

"모기가 물었어!"

"모기밥 되기 싫으면 들어가자."

때로는 말 한마디에 더 놀려는 아이들이 한꺼번에 들어간 적이 있다. 이날은 저녁 여덟 시부터 공사 관계로 온수가 나오지 않았다.

"찬물에 샤워하고 싶은 사람!"

이렇게 들어가는 경우도 있지만 대개는 실랑이라는 통과의례를 거친다. 세 살 아이가 그네를 타고 있었다. "들어가자"는 엄마 말에 아이는 "싫어"라며 제법 당차게 도망쳤다. 엄마의 다음 말은 "그럼 내일 안 나올 거야"다. 이 말을 들은 아이가 울자 엄마는 "그럼 그네 한번만 타고"라는 타협안을 제시했다. 이때 아이가 말했다.

"그네 멈추면 들어갈 거야."

그네가 멈추자 엄마가 손을 잡고 들어갔다. 나이가 어리면 손을 잡고 들어가지만 아이가 크면 달라진다. 여섯 시가 되자 아이가 둘인 엄마가 첫째 보고 "들어가자"고 말했다. 들은 척도 않고 아이가 계속 놀자 "지금 안 들어가면 내일 못 놀아. 지금 들어가면 내일 놀 수 있어"라며 최후통첩을 했다. 그래도 무시하고 계속 놀자 둘째만 데리고 들어갔다.

아이 역시 엄마의 전술에 대항해 전술을 짠다. 이때 아이들 입장에서 엄마들은 자기 마음을 몰라주고 마음대로 결정하는 사람이다. 아이들은 이런 엄마에 대항하여 "싫어!"라며 도망가는 원초적인 것부터 조목조목 따지며 설득하려는 협상까지 다양한 방법을 쓴다. 특히 친구들과 같이 노는데 먼저 들어가자고 할 때 아이들의 저항은 거세다 못해 격렬하다.

"쟤네들은 안 들어가는데! 왜 내가 들어가야 하는데!"

아이가 이런 말을 할 때 설득시키기 참 난감하다. 그래서 엄마들끼리 미리 몇 시에 같이 들어가자고 약속을 해 이런 불상사를 없애려고 한다. 조목조목 따질 때도 별로 할 말이 없게 만든다.

"충분히 놀았잖아."

"조금밖에 못 놀았는데."

"깜깜해졌잖아. 들어가자."

"더 놀라고 불이 들어왔잖아."

가끔은 모르쇠 방법을 쓴다.

"일곱 시에 갈 거라고 약속하고 나왔거든."

"언제요?"

"나올 때."

"못 들었거든요."

이럴 땐 엄마 속이 터진다. 그런데 아이가 충분히 놀았다고 생각하면 저항은 소극적이다. "그네 한번만 타고요." 그러나 집에 들어갔다고 안심하기에는 이르다. 가끔 이런 일이 생긴다. "밥 많이 먹었으니까 소화시키러 나가야지."

내가 주로 하는 말은 "이제 들어갈 시간이다"와 이게 통하지 않을 때는 "배고파"다. 서령이가 "배 안 고픈데" 그러면 "너 말고 아빠가 배고파서 쓰러질 것 같다고"라고 답한다.

어쩌면 들어가자는 실랑이를 둘러싼 딜레마는 엄마가, 어른들이 보호자로 놀이터에 나올 수밖에 없는 상황에서 비롯된 것은 아닐까. 또한 아이의 생활이 너무 **빡빡**해 놀 여유가 없기 때문이 아닐까 한다. 나아가 엄마가 상당 부분 아이를 돌보고 살림을 해야 하는 현실 때문이 아닐까 싶다.

그래도 가끔은 날을 정해 아이에게 이렇게 말하면 어떨까?

"놀고 싶은 만큼 놀아. 들어가라고 하지 않을 테니까."

이 말을 들은 아이의 얼굴은 어떻게 바뀔까?

산길에서 뛰기

우울할 땐 산길을 뛰어 내려오는 상상을 한다. 그러면 기분이 좀 나아진다. 어렸을 때 아이들과 작은 산길을 날아가듯 뛰어 내려올 때 기분은 말할 수 없이 좋았다. 이 기억은 나도 모르는 사이 내 몸 깊숙한 어딘가에 숨어 있다가 우울한 순간 툭 튀어나온다.

이번 가을 여행은 양양으로 가기로 했다. 아내의 지인이 그곳에서 게스트 하우스를 운영한단다. 내게 양양은 따뜻한 절터의 빛으로 기억되는 곳인데 요즘에 흥미롭게 읽은 『달려라 탁샘』의 무대인 공수전 분교가 그곳에 있어 더 따뜻한 느낌이 들었다.

양양에 도착해 먼저 하조대 곁에 있는 등대에 올라가 서령이와 등대를 뱅글뱅글 돌았다.

"서령아, 왜 등대라고 부르는 줄 아니?"

"등은 불빛이고 대는 이렇게 쌓은 거."

"아니야. 등대는 등대에 가면 등을 대고 빙글빙글 돌아야 한다고 해서 등대야."

"아빠, 거짓말이지?"

등대에서 빙글빙글 도는 등대놀이를 하다 하조대 해수욕장으로 갔다. 모래 속에서 조개를 줍던 서령이가 파도가 밀려오자 파도 앞으로 달려가 조개를 던지며 외쳤다.

"화가가 되게 해주세요."

두 번째 파도가 오자 다시 조개를 힘껏 던졌다.

"꼭 이루게 해주세요."

세 번째 파도가 오자 또 조개를 던졌다.

"꼭요."

정말 화가가 되고 싶은 것 같았다.

동해안이 한눈에 보이는 숙소 근처에는 산책하기 좋은 길이 여럿이다. 하조대 해수욕장으로 가는 길, 계곡으로 올라가는 마을길, 산으로 가는 등산로인데 어느 길을 걷든 마음에 들 것 같았다.

다음 날 이 길 가운데 동해안을 아스라이 볼 수 있다는 등산로를 오르기로 결정하고 열한 시가 넘어서 출발했다. 산에 가면서도 패션을 중시하는 서령이는 엄마의 권유와 아빠의 경고를 무시하고 짧은 치마와 샌들로 한껏 멋을 부렸다.

등산로 초입은 완만한 경사길이다. 소나무 사이로 부는 솔바람이 시원했다. 이런 작은 산길을 걸을 때면 늘 어렸을 때 뛰놀던 산길이 아른거린다. 아마 내 삶에서 가장 신났던 시절 가운데 하나를 꼽으라면 바로 그때가 아닌가 싶다. 산을 뛰어오르고 뛰어내리고 그러다 발바닥에 나무가 박히고 산딸기 먹고 개암 열매 먹고 총싸움하고 사슴벌레 잡고 가재 구워 먹고 산골짜기를 탐험했다.

그때 시골 아이들에게 용산골이라는 계곡에 있는 물탱크는 무서운 곳이었다. 언제나 그곳을 지날 때면 그 속에서 이상한 소리가 들렸다.

"그 안에 사람이 살아. 애들이 가까이 가면 잡아가."

그때까지 물탱크의 정체를 몰랐던 아이들은 어른들의 말이 진짜라고 믿었다. 그래서 물탱크가 보이는 곳에서는 그 사람이 나올까 봐 긴장을 하며 서둘러 지나갔다. 혹시 아이들이 물탱크 뚜껑을 열었다 떨어지는 사고를 막기 위해 그렇게 말했다는 걸 한참 후에 알았다.

이곳은 등산로 치고는 완만해 샌들 신은 서령이가 가볍게 걸을 정도였다. 서령이는 예쁜 꽃이 보일 때마다 발걸음을 멈추었다.

"꽃아 미안해."

그러고는 꽃을 꺾어 엄마 몰래 내 손에 쥐어 주었다.

"이따 엄마에게 줄 거니까. 잘 들고 가. 너무 꽉 쥐어서 시들게 하지 말고."

사실 오늘은 아내 생일이어서 서령이가 선물을 준비하는 중이었다. 그렇게 꽃다발을 만들며 가고 있을 때 걱정했던 일이 생겼다.

"아빠, 다리 아파. 그만 갈래."

"서령아, 조금만 가면 바다 보이는 데 나와."

다른 때 같으면 그러냐 하고 내려갔을 텐데 바다가 보인다는 의자에 꼭 가보고 싶었고 산에서 보는 바다는 어떨지 궁금해서 참을 수 없었다. "조금만 더 조금만"이라는, 산에 가면 흔히 하는 거짓말에 억지로 가던 서령이는 한 걸음 한 걸음 옮길 때마다 투덜댔다.

"다리 아파!"

자꾸 이런 말을 듣다 보니 '그냥 혼자 올걸'이란 후회가 드는데 바다를 볼 수 있다는 의자는 도대체 어디에 있다는 건지 도무지 보일 기미가 없었다. '그래 조금만 가면 나올 거야'라는 자기 최면도 점점 약해졌다. 혼자라면 더 가보겠지만 서령이 상태를 보면 이쯤에서 돌아가는 게 맞겠다.

"서령아, 아빠가 신나게 뛰어 내려가는 법 알려 줄까?"

힘들게 올라온 서령이에게 추억을 선물해 주고 싶어 경사진 언덕을 펄쩍펄쩍 뛰면서 내려갔다. 그 순간 어렸을 때의 그 느낌이 몸속으로 전해 왔다. 뭐라고 말할 수 없는 즐거움, 새처럼 나는 것 같은 설렘, 발끝에 전해지는 긴장감, 옆으로 휙휙 스치는 듯 지나치는 나무들, 맑은 숲 향기, 그리고 맨발로 산에서 뛰어 내려오다 썩은 나무가 발에 박혀 곪았던 일들이 어제 일처럼 생생했다. 몸속 어딘가에 숨어 있던 그때의 느낌이 살아났다. 정신을 차렸을 때는 서령이가 나를 따라 내려오는 중이었다.

"아빠, 재미있어. 나 먼저 갈게."

이번에는 서령이가 먼저 내려갔다.

"서령아, 풀 있는 데서 펄쩍 뛰면 기분이 좋다."

이번에는 경주를 했다.

"아빠, 하나 둘 셋!"

샌들에 치마를 입은 서령이는 개구리처럼 펄쩍 뛰어 풀을 넘었다. 경사지에서는 손을 잡고 내려갔고 뒤에서 엄마가 걸어오고 있었다.

"엄마는 어렸을 때 이런 거 안 해봤어?"

"아니. 도시에서 자라서."

이 즐거운 걸 해볼 기회가 없었다니! 서령이와 앞서거니 뒤서거니 내려가다 보니 다 내려왔다. 다치고 않고 잘 내려와 다행이다 싶었는데 갑자기 비명 소리가 들렸다. 서령이가 등산로 입구 모래가 많은 언덕에서 미끄러졌다. 달려가 일으켜 보니 엉덩이가 까지고 두 곳에서 피가 났지만 다행히 많이 다치지 않았다.

"(울음을 터트리며) 아파. 아프단 말이야."

그러다 엄마가 언덕 아래에 있는 것을 보자 또 소리쳤다.

"엄마는 왜 안 올라오는데. 밴드 붙여 줘."

"밴드 안 가져왔는데."

"아빠, 왜 밴드 안 가져왔는데, 왜 산에 가자고 그랬는데!"

나도 할 말이 있었다. '너는 왜 산에 가는데 치마 입고 왔는데. 바지만 입었어도 이런 일은 없잖아.'

"휴, 다행이다."

집으로 돌아와 연고를 발라 주고 밴드를 붙이고 그것보다 강력한 치료제인 아이스크림을 주었더니 울음은 사라지고 웃음기가 돌아왔다.

"서령아, 아빠는 이번 여행에서 산에서 뛰어 내려온 게 가장 기억에 남아."

"나도."

서울로 돌아오는 버스에서 서령이가 경쾌하게 말했다.

참, 엄마 준다고 꺾어 둔 꽃은 어디로 갔을까.

누가 누가 잘하나

놀이터에서 때 아닌 훌라후프 시합이 벌어졌다.

아이들이 놀이터에 가끔 줄넘기, 공, 딱지를 가지고 나온다. 그중에서 유치원에서 배우는 줄넘기가 인기가 좋아 한 아이가 줄넘기를 가지고 나오면 돌아가면서 줄넘기를 하곤 한다. 그러다 성에 차지 않으면 집이 가까운 아이는 집으로 달려가 자기 것을 가지고 나온다. 이렇게 줄넘기를 가지고 나오는 날은 누가 누가 많이 하나 시합을 벌인다.

두 달 전이었다. 저녁 일곱 시가 지나 서령이 친구가 줄넘기를 들고 나타나 줄넘기를 시작했다. 순서를 기다리기 지루했던지 집이 코앞인 서정이와 한 아이가 집에서 줄넘기를 들고나와 같이 줄넘기를 시작했다. 세 아이는 숨을 헐떡이면서 쉬지 않고 줄을 넘겼다. 쉽게 끝날 줄 알았던 줄넘기는 한 아이가 지면 다시 하자고 해 계속되었고 결국 시간이 늦어 최종 승자를 보지 못한 채 집으로 돌아왔다.

다음 날 오후 서정이 할머니를 만났다.

"서정이가 어제 그 아이와 줄넘기 400개 넘게 하다 열이 났어요. 아파서 유치원에 못 갔어요."

아플 법도 하겠다. 다른 아이들이 다 들어간 뒤에도 승부를 가린다고 땀을 뻘뻘 흘리며 줄넘기를 하는 아이들 모습이 떠올랐다. 아이들마다 다르지만 대부분 아이들이 줄넘기에 민감한 건 다른 놀이와 달리 바로 수치화할 수 있다는 점 때문인 것 같다.

"아저씨, 저 4개 했어요. 71개 했어요!"

줄넘기를 마친 아이들은 가쁜 숨을 몰아쉬며 자랑하듯 개수를 외쳤다. 많이 한 아이는 어깨가 으쓱해지고 덜한 아이는 더 해보려고 노력한다.

줄넘기가 대세를 이루던 놀이터에 드디어 훌라후프가 나타났다.

"126개 했어요."

놀이터에서 자주 보는 준성이가 달려와 자랑스럽게 소리쳤다. 그때 아이들은 훌라후프를 잘 접하지 못한 때였다.

"준성이 잘한다. 다른 친구들도 한번 해볼래?"

이번에는 서현이가 훌라후프를 돌리기 시작했다. 방금 126개를 했다고 자랑하던 준성이가 이에 질세라 훌라후프를 돌리기 시작해 얼떨결에 둘이서 시합을 하는 모양새가 되었다. 주위에 있던 아이들이 우르르 몰려들어 열띤 응원을 시작했다.

"서현이 잘한다!"

"준성이 잘한다!"

훌라후프는 유연하게 돌아가는 허리에 착 달라붙은 듯 빙글빙글 돌았

다. 40개, 50개, 60개가 넘었다. 아이들은 훌라후프와 하나가 된 것 같았다. 그때 한 어린아이가 달려오다 그만 서현이와 부딪혀 잘 돌아가던 훌라후프가 빙그르르 떨어졌다.

"진 게 아니야. 애기랑 부딪혀서 그런 거야."

서정이 할머니가 울상이 된 서현이를 보고 격려했다. 곧 시합이 다시 열렸고 준성이가 이겼다.

"준성이 원래 많이 못했어요."

준성이가 이기자 준성이 친구가 친절하게 알려 주었다. 1개에서 10개, 10개에서 50개. 경쟁은 다른 사람과 하는 것처럼 보이지만 진짜 경쟁은 어제의 나와 하는 게 아닐까 싶다.

훌라후프 돌리기의 여파는 컸다. 서령이는 집 안 구석에 처박아 두었던 반짝이 훌라후프를 찾았고 서정이도 훌라후프를 가져왔다. 둘은 부지런히 허리를 돌려 보지만 몸 따로 마음 따로 돌던 훌라후프는 맥없이 툭 떨어졌다. 다시 서령이가 훌라후프를 돌리며 비장한 얼굴로 아빠를 보았다.

"엄마한테 자랑할 거란 말이야."

아이들은 훌라후프를 돌리다 모기를 피해 다른 놀이터로 움직이면서 훌라후프는 빼놓지 않았다. 다른 놀이터에서도 그림을 그리다 훌라후프를 돌리고 다시 그림을 그렸다.

"아빠 아빠, 나 후프 하는 거 봐."

"아까보다 허리가 잘 돌아가는데."

그러다 훌라후프는 잊고 바닥에 엎드려 그림을 그렸다. 가로등이 아이들을 환하게 비추었고 훌라후프는 아이들 곁에 덩그러니 놓여 고단한 하루를 끝냈다.

아이들을 보고 있자니 아이들 앞에 펼쳐질 세계가 눈앞에 보이는 것 같다. 지금은 즐겁게 겨루지만 앞으로 살아가면서 피 말리는 경쟁이 얼마나 많을까. 성적을 잘 받기 위해, 취직하기 위해, 승진하기 위해, 직장에서 밀려나지 않기 위해. 기쁨도 크겠지만 그만큼 좌절도 클 것이다. 하지만 좌절의 그 순간에도 아이들이 자신을 존중하는 힘을 잃지 않았으면 좋겠다. 경쟁에서 졌다고 자기의 가치가 떨어지는 건 아니니까. 진짜 경쟁은 어제의 자기와 하는 거니까. 그래서 누군가는 이렇게 말한 건 아닐까?

"나는 매일 좋아지고 있다."

시간 가는 줄 모르고 그림을 그리던 아이들이 자리를 털고 일어났고 서령이도 반짝이 훌라후프를 들고 집으로 갔다. 당분간 아이들은 훌라후프를 들고 놀이터에서 날마다 허리를 돌리며 시간을 보낼 것 같다. 어제보다 딱 하나씩만 더!

저렇게 다칠 수 있어

구름사다리에서 한 아이가 떨어졌다.

갑자기 구름사다리 아래가 소란스러워 달려가 보니 처음 보는 낯선 아이가 팔을 감싸 쥔 채 울고 있었다. 구름사다리를 건너다 한 팔을 놓쳐 균형을 잃고 떨어진 모양이었다. 침착한 한 엄마가 재빨리 아이 곁으로 다가갔다.

"괜찮아, 괜찮아?"

놀란 아이는 눈물을 떨군 채 아무런 대답을 하지 못했다. 겉으로 봐서는 팔이 부러지거나 하지는 않은 것 같았다. 만약 응급조치에 대해 배웠다면 팔 상태를 제대로 알고 대처할 수 있을 텐데 지금은 아이의 울음소리를 듣고 판단하는 게 전부다. 일단 많이 놀란 마음을 진정시켜야 할 텐데. 이때 웅성거리는 사람들 틈에서 손자를 데리고 온 할아버지가 다친 아이를 보더니 손자에게 경고하듯 말했다.

"잘못하면 저렇게 다칠 수 있어!"

말할 거라면 저쪽으로 가서 조용히 말하던지 아이가 울고 있는데 이렇게 말하니까 어이가 없었다. 당신 손자가 다쳐 울고 있는데 이렇게 말하면 기분이 어떨까. 아이는 너무 놀랐는지 처음에는 엄마 아빠 전화번호를 기억하지 못했고 겨우 떠올려서 누른 전화번호는 결번이었다. 아이를 둘러싼 어른들이 당황했다. '어떻게 하지?' 잠시 후 다행스럽게 아파트 단지에 할머니가 산다는 걸 알았다.

"119 안 불러도 될까요?"

"이 정도는 괜찮을 것 같은데. 일단 할머니한테 가야 할 것 같아요."

내가 아이를 데리고 할머니네로 가기로 했다. 아이는 아픈 왼손을 꼭 쥐고 할머니 집으로 향했다. 내 마음은 급해 발걸음이 빨라지는데 아이는 빨리 걸으면 팔이 아프다며 천천히 걸었다. 자꾸 빨라지려는 발걸음을 참느라 애쓰는 한편 아이를 안심시키려고 말을 계속했다.

"할머니한테 가면 괜찮아. 그리고 병원 가면 되지. 이 정도면 크게 다친 거 아니야. 떨어졌을 때 깜짝 놀랐겠다. 아저씨 딸도 떨어진 적 있어. 깜짝 놀랐지?"

그러는 사이 멀게만 느껴지던 할머니 집에 도착했다. 할머니 얼굴을 보자 아이 얼굴에서 울음기가 가셨다. 자초지종을 들은 할머니는 먼저 아들에게 전화를 건 후 병원으로 가기 위해 택시를 잡는다고 큰길로 나갔다. 그사이 아이와 함께 나란히 계단에 앉아 택시를 기다렸다.

"구름사다리에서 건너다 떨어진 거야?"

"생각으로는 될 줄 알았는데."

보아 하니 한 팔을 내밀다 균형을 잃고 한쪽으로 쏠려서 떨어지며 팔을 잘못 짚은 것 같다. 가벼운 아이들은 구름사다리를 잘 타지만 큰 아이들은 몸무게 때문인지 잘 떨어진다.

그동안 구름사다리를 타다 떨어져 다친 아이들이 여럿이었고 그중에는 반깁스를 하거나 얼굴에 큼지막한 반창고를 붙이기도 했다. 때문에 어른들 사이에서도 서로 의견이 달라 구름사다리를 타는 아이들을 보면 다친다고 하지 말라는 어른이 있는 반면 애들은 저러고 놀아야 한다는 어른이 있다. 그러나 아이들은 어른과 달리 의견이 일치해 다친 아이라도 어른들의 걱정은 뒤로 한 채 깁스를 풀자 다시 건넜고 얼굴에 반창고를 붙인 채 엄마가 보지 않는 틈을 타 구름사다리 위로 올라갔다.

"수술하면 어떻게 해요?"

"수술할 정도면 이러고 못 있어. 너무 아파서 쓰러지지. 걱정 마. 괜찮아."

이야기를 나누는 사이 할머니가 타고 온 택시가 도착해 아이는 병원으로 출발했다. 아이의 엄마 아빠는 아이에게 무슨 말을 했을까?

서령이는 올해 세 번 깁스를 했다. 그 후유증으로 놀다가 종종 발이 삐끗할 때가 있다. 그럴 때마다 노는 걸 멈추고 업어서 집으로 돌아오는데 삔 데가 계속 삐어 걱정이 되기고 하고 앞으로도 계속 이럴까 봐 짜증이 나기도 한다. 나중에는 삐끗하는 게 무서워 놀지 말라고 할 수도 없어서 차라리 내 마음을 비우자고 마음먹었다.

'그래, 놀 만큼 놀아라. 삐끗하면 업고 오고 심하면 깁스 하면 되지 뭐.'

이렇게 생각하는 게 내 마음이 편했다. 아이들은 어떻게 해서든 놀고야 마니까.

아이가 괜찮길 바라며 털레털레 놀이터로 돌아왔다. 아이들은 소꿉놀이를 하고 엄마들은 이야기를 나누며 아이들을 보고 있었다. 아이들은 조금 전 상황에 아랑곳 하지 않고 구름사다리를 탔고 원통형 미끄럼틀 꼭대기로 기어 올라갔다.

한 아이가 달려가다 원통형 미끄럼틀에 부딪혀 넘어진 적이 있었다. 머리를 감싸 쥐고 눈물을 흘려서 '많이 아프겠다' 싶었는데 걱정하기 무섭게 벌떡 일어나 친구들과 다시 놀았다. 그 후 매일 그곳에서 놀던 초등학교 4학년 남자 아이가 원통형 미끄럼틀 꼭대기에서 떨어졌는데 횡격막이 놀랐는지 제대로 숨을 쉬지 못했다. 잠시 후 이런 상황에 익숙한 듯한 한 엄마가 다가와 등을 두드리며 물을 주었다. 깜짝 놀란 내가 내가 할 수 있는 건 아이에게 "많이 놀랐지? 아저씨도 옛날에 나무에서 떨어졌어. 엄청 아팠지"라며 얘기를 나누며 안심을 시키는 정도였다. 그 아이를 다시 본 건 바로 다음 날 그 원통형 미끄럼틀 꼭대기에서였다.

아이들과 달리 어른들은 이런 일을 겪고 나면 이런 일이 언제라도 자기 아이에게 일어날 수 있는 일로 받아들인다. 아이들이 안전하게 놀기를 바라기 때문에 하지 말라는 게 많다.

그러나 아이들 입장에서는 어른들의 통제가 많을수록 할 수 있는 놀이가 줄어든다. 한마디로 어른들 눈에 안전하게 보이지만 당사자인 아이들은 재미없을 가능성이 높다. 이런 상황에서 어떻게 타협점을 찾을 수 있을까, 좋은 해결 방법은 뭘까?

"놀이터는 아이들이 수용 가능한 위험과 만나고 위험을 배우고 그것에 대처하는 방법을 스스로 또는 친구들과 함께 찾는 곳이다."

놀이터 디자이너 편해문 선생의 말처럼 놀이터는 이래야 한다는 당위성에 "맞아. 이렇게 놀아야지" 하면서 공감한다 하더라도 막상 코앞에서 아이가 다치거나 다쳤다는 이야기를 듣거나 혹은 위험하게 노는 장면을 본다면 이 말을 다시 생각한다. 오늘도 놀이터의 어른들은 안전과 모험 사이에서 갈등하고 고민한다.

"안전하게 놀 수 있는 모험 놀이터는 없을까?"

진짜 소꿉놀이

이제부터 진짜 소꿉놀이다. 봄부터 시작한 소꿉놀이는 나뭇잎이 물들기 시작하는 9월 말부터 확 달라졌다. 음식 재료가 풍부한 전라도에서 음식이 발달했듯 눈만 돌리면 울긋불긋한 음식 재료를 곳곳에서 볼 수 있고 손만 뻗으면 구할 수 있는 이때 소꿉놀이를 하고 싶은 욕구가 부쩍 커지는가 보다.

추석 연휴 전날, 날이 어두워질 때까지 놀던 서령이와 서정이가 놀이터 한편 네모난 화단에서 친구 언니인 지유와 같이 선생님놀이를 시작했다. 나이가 많은 지유가 선생님, 두 아이가 학생이다. 지유가 두 학생에게 무슨 말을 하자 아이들이 이리저리 몰려다니며 땅바닥에 떨어진 나뭇잎을 줍고 작은 나무에 매달린 작은 잎들을 땄다.

이제 본격적으로 소꿉놀이를 시작하는구나. 가로등이 비추는 네모난 화단이 아이들 소꿉놀이 무대다.

"나뭇잎 좀 따주세요."

무대에 가까이 가자 지유가 부탁했다. 뒤꿈치를 들고 팔을 뻗어 벗나무에서 노랗게 물든 나뭇잎을 땄다.

"예쁘다."

이번에는 한 장 더 따 서정이에게 건네주었다. 다시 큰 나뭇잎을 찾아 두리번거렸다.

"아빠, 난?"

"따줄려고 했는데 큰 게 안 보여서."

재빨리 나뭇잎을 따서 서령이에게 주자 헤헤 웃는다. 화단에서는 아이들이 둘러앉아 큰 나뭇잎 위에 작은 나뭇잎들을 얹어 어느 셰프보다 진지하게 음식을 만드는 중이었다.

"무슨 음식이야?"

"샐러드."

아이들은 조명을 받으며 연극을 하는 배우들 같기도 하고 야간 경기를 하는 운동선수들 같기도 하다. 점점 아이들 손끝에서 세상에서 처음 보는 신기한 음식이 탄생하고 있었다. 이번에는 내가 주문을 해볼까.

"고춧가루 좀 뿌려 줄래?"

그러자 아이들이 빨간 나뭇잎을 찾아 손으로 문질러 가루를 내더니 나뭇잎 위에 골고루 뿌렸다. 그리고 맛보는 시늉까지 했다.

"아, 싱거워."

이번에는 붉은 나뭇잎을 더 많이 뿌렸다. 나뭇잎 요리를 만들던 아이들이 좋은 생각이 난 듯 말했다.

"어른들 초대해야지."

"몇 명이지?"

"네 명!"

어떻게 어른들 초대할 생각을 했을까? 어쩌면 정성이 들어간 음식을 만들다 보니까 어른들 생각이 났거나 아니면 단순하게 늘 어른들이 음식을 준비해 아이들을 먹였기 때문에 이번에는 거꾸로 해보고 싶은 것도 같았다. 아이들은 흙바닥에 흙을 둥그렇게 뿌려 둥근 접시를 만들었다. 그나저나 이제 한 접시 만들었는데 언제 세 접시를 만들려나.

"음식이 모자라."

세 접시를 준비해야 하니까 당연히 모자라겠지. 추석 음식을 하는 어른들 손길처럼 아이들 손길이 바빠 부지런히 나뭇잎을 주워 오고 따고 자르고 얹었다.

"아저씨 꺼 먼저 만들어야지."

고맙게 아이들이 내 것을 먼저 만들어 주니, 소꿉놀이를 지켜보던 보람을 느꼈다. 서령이가 나무 막대기로 접시 앞에 "아빠"라고 글씨를 썼다. 멀리 어둠 속에서 어른들 목소리가 들려왔다.

"애들은 어디 갔지?"

잠시 후 서현이 엄마가 와 나뭇잎 음식을 보더니 지유에게 물었다.

"이게 뭐야?"

"서프라이즈!"

"알았어. 이따 볼게."

뒤따라 서정이 할머니도 오셨다. 그때 서정이는 막대기로 "할머니"란 글자를 쓰기에 바빴다.

"서정아, 여기 좀 봐."

여전히 서정이는 고개를 숙인 채 글자를 만드느라 듣지 못했다.

"지금 '할머니' 글자 쓰느라고 집중하고 있어요."

한창 몰입 중인 꼬마 예술가를 본 할머니가 웃고는 그냥 사진을 찍었다. 이때 놀이터 저쪽 그네에서 따로 놀던 유나와 서현이가 쪼르르 달려왔다.

"같이 놀면 안 돼?"

상황을 파악한 두 아이 역시 화단 위 흙으로 올라가 나무 막대기로 글씨를 만들기 시작했다. 나무 글씨를 만들고 음식을 만드는 아이들 손이 야무지다. 내 음식은 아까 완성됐다.

"서령이 아서씨, 먼저 먹으세요."

아이들이 음식을 다 만들자 큰 소리로 어른들을 불렀다.

"음식 다 됐어요!"

어른들이 각자 자기 이름이 쓰인 곳으로 가서 최고로 맛있는 음식을 먹는 시늉을 했다. 손가락으로 진짜 음식을 집어 먹는 척하고는 엄지를 척 들었다.

"정말 맛있는데. 최고야."

소꿉놀이가 완성되는 순간이었다. 음식을 준비한 사람 입장에서 먹는 사람이 맛있게 먹는 것만큼 뿌듯한 게 없다. 최고의 찬사를 들은 아이들 얼굴이 보름달보다 환하게 밝아졌다. 어른들이 음식을 먹고 격한 감동의 표현을 마치자 기다렸다는 듯 유나가 말했다.

"들어갈래."

이 시점에서 어른들이 가장 듣고 싶은 말이었다.

"그 말이 정답이다."

서현이 엄마가 말하자 서정이 할머니가 말을 이었다.

"그래 들어가자."

아이들이 집으로 갈 준비를 했다.

"추석 잘 보내세요."

아이들이 만든 추석 음식을 마음으로 먹은 저녁, 보름을 앞둔 저녁 달빛이 유난히 반짝거렸다.

가을 그리고 겨울

가을의 선물

우리 동네에는 서울의 아파트 단지 안에서는 좀처럼 찾아보기 어려운 특별한 공원이 있다. 아이들이 뛰어오르기 알맞은 나지막한 언덕, 잘 가꾼 숲, 그리고 널찍한 운동장이 거미줄처럼 이어졌다. 또한 놀이터에서 바로 이어져 아이들에게는 공원이 또 다른 놀이터인 셈이다. 낙엽이 날리기 시작할 때면 아이들은 공원을 새로운 놀이터로 만든다.

친구가 없는 놀이터에서 심심해 하던 서령이 눈에 수북하게 쌓인 낙엽이 보였다.

"아빠, 낙엽놀이 해요."

늘 가을이 오면 공원으로 가 낙엽놀이를 했다. 낙엽을 모아 배를 만들어 고래를 사냥하고 낙엽을 머리에 뿌리고 낙엽을 모아 쿠션을 만들어 함께 뛰곤 했다.

서령이와 낙엽을 모으다 지나가는 지인을 만나 이야기가 길어졌다. 곁에서 이야기를 듣던 서령이가 더 이상은 기다리지 못하겠다는 듯 말했다.

"낙엽 언제 모을 건데!"

얼른 낙엽놀이를 하고 싶어 보채는 서령이와 함께 낙엽을 모으러 작은 숲으로 갔다. 공원 한구석에는 서너 살 된 아이들이 엄마와 함께 낙엽 위에 앉아 놀고 있었다. 보기 좋다. 서령이는 손바닥만 한 낙엽을 긁어모으기 시작했고 어느 틈엔가 유치원 친구인 석준이와 신우가 다가왔다.

"너희도 낙엽 모을래?"

"좋아요."

아이들 셋과 같이 막대기로 낙엽을 모았다. 낙엽을 긁을 때마다 바닥에서 마른 먼지가 풀풀 피어올랐다. 그러나 먼지를 피하고 싶은 것은 어른뿐 아이들은 아랑곳하지 않고 낙엽을 박박 긁어모았다. 이번에는 저쪽에서 서령이 친구 예은이가 서령이를 보고 한걸음에 달려왔다.

"예은이 나뭇가지 좀 찾아 줘요."

그렇지 않아도 찾아보았는데 적당한 게 영 보이지 않았다.

"그럼 이거 잘라요."

서령이가 자기 막대기를 내밀었다. 낙엽을 모닥불처럼 둥글게 모으자 이번에는 낙엽에 양념을 치듯 모래를 골고루 뿌렸다.

"그게 뭐야?"

"설탕 뿌리는 거야."

아하. 낙엽으로 음식을 만들고 있구나. 막대기가 없는 석준이는 윗도리에 낙엽을 쓸어 담아 가져와 낙엽 더미에 쏟아 부었다. 아이들이 낙엽을 모으고 흙을 뿌리는 사이 나는 어떻게 하면 낙엽을 잘 모을 수 있을

까 고민하다 종이 박스에 넣으면 좋겠다 싶어서 경비실 앞 재활용쓰레기
장으로 갔다가 기가 막힌 걸 발견했다. 긴 자루가 달린 빗자루였다.

"아저씨. 빗자루 좀 빌려 주세요. 아이들하고 낙엽 갖고 노는 데 필요
해서요."

내가 봐도 근사했다. 그런데 아이들은 빗자루를 어떻게 쓸까. 예은이
가 이 빗자루를 들더니 낙엽을 쓸어 모으기 시작했다. 그때 신우와 석준
이는 어른들이 돌리는 큰 훌라후프 안으로 들어가 어부가 물고기를 잡
듯 낙엽을 쓸고 왔지만 낙엽은 하나둘씩 빠져나가고 먼지만 풀풀 날렸
다. 예은이가 쓸고 있는 빗자루를 보더니 이번에는 신우가 쓸겠다고 나
섰다.

"이 정도는 돼야지."

제법 낙엽을 많이 모았는가 싶더니 갑자기 빗자루를 번쩍 들고 큰 소
리로 외쳤다.

"우리는 사나이 우리는 사나이."

석준이가 그 뒤를 따라가는 게 마치 군인들이 행진하는 모습 같다. 빗
자루는 남자 아이들을 순식간에 씩씩한 사나이로 만들었다. 사나이놀
이에 빠진 남자 아이들은 이제 낙엽을 모으는 것에는 관심이 사라지고
빗자루를 들고 "사나이"를 외치며 공원 이곳저곳을 행진했다.

"우리는 사나이 우리는 사나이."

사나이 둘은 빗자루를 들고 끌고 큰 소리를 외치며 공원을 빙글빙글

도는데, 저 많은 에너지가 어디에서 솟아날까.

아이들은 훌라후프를 낙엽 주위에 놓았다. 그리고 그 안에 석준이가 가져온 종이 해시계를 넣었다. 마치 성화 같았다. 석준이가 청소를 한다면서 빗자루를 가랑이 사이에 끼고 훌라후프 주위를 빙글빙글 돌았다. 이 모습은 청소하는 게 아니라 말을 타고 달리는 것 같아 죽마고우라는 말을 떠올리게 했다. 그때 잠깐 엄마에게 갔던 예은이가 뭔가를 들고 나타났다.

"얘들아, 이거 봐라."

손목시계형 핸드폰, 일명 키즈폰이었다. 키즈폰의 출현에 지금까지 낙엽 가지고 놀았던 건 까맣게 잊고 디 들 예은이 곁에 모여 앉으면서 치열했던 낙엽놀이도 막을 내렸다.

가을의 선물은 낙엽만이 아니었다. 그날은 놀이터에서 서령, 황희, 서현이가 그네를 타고 빙글빙글 도는 중이었다. 그때 황희 아빠가 놀이터 바닥에서 뭔가를 발견하고 부지런히 줍기 시작했다. 쓰레기도 아닌데 뭐를 줍지. 한참을 줍더니

"얘들아!"

라고 불렀다. 그네를 타던 아이들이 호기심 어린 눈으로 황희 아빠 곁에 모였다.

"우리 올라가서 던져 볼까."

뭔가를 손에 가득 쥐고 아이들과 구름다리로 위로 올라가 하늘로 힘

껏 뿌렸다. 갑자기 하늘에서 검은 방울이 빙글빙글 돌아가며 쏟아졌다.

"단풍 열매다. 와. 나도 해볼래요."

단풍 열매라고? 그 열매가 헬리콥터처럼 빙글빙글 돌며 떨어지는 광경은 황홀했다. 흥분한 아이들이 우당탕탕 내려가 너나 할 것 없이 바닥에서 단풍 열매를 줍기 시작했다.

"아빠, 그 그림 같아. 뭐 줍는 사람들 있잖아."

"이삭 줍는 사람들."

어른 아이 할 것 없이 바닥에서 뭔가를 줍고 있는 모습을 보고 동네 사람들이 힐끗 보며 지나갔다. 어느새 한 손 가득 단풍 열매를 주워 다들 구름다리로 올라갔다.

"하나 둘 셋!"

단풍 열매들이 하늘을 가득 채우며 또다시 회전 비행을 시작했다. 다시 우르르 내려가 하나라도 더 뿌리려고 재빨리 손을 움직여 단풍 열매를 주웠다. 날이 저물 때까지 아빠들과 아이들은 줍고 뿌리고를 되풀이했다. 단풍 열매가 사람들을 하나로 모았다.

늘 가을놀이는 우리 곁에 있었다. 우리가 몰랐을 뿐.

놀이의 기억

"토요일, 일요일에는 나랑 놀아 주기!"

가을이 저물고 날이 추워지면서 주말에 아이와 함께 밖으로 나가는 일이 점점 줄어들었다. 날씨는 사람을 방바닥에, 집 안에 눌어붙도록 만드는 '껌딱지 호르몬'과 '귀찮아 호르몬'을 한꺼번에 분비하는 효소가 있음에 틀림없다. 엄마 아빠는 이 호르몬에 예민하게 반응하는 반면 아이들은 '콧바람 호르몬'이 여전히 강해 급기야 서령이는 하얀 보드판에 자기의 요구 사항을 또박또박 적었다. 서령이가 자기 요구 사항을 공식적으로 표현했으니 이제는 아빠가 어떻게 할지 결정해야 할 시점이다. 마침 아내는 토요일이었지만 새벽부터 출근해 결정의 결과는 온전히 아빠의 몫이었다.

'맞아 요즘 주말에 게을러졌어'라는 자기반성 끝에 '슬슬 나가 놀아 볼까'로 결정했다. "크리스마스 몇 밤 남았어요?"라는 아이의 물음에 "한 밤"이라는 대답만큼 아이들을 신나게 만드는 말은 "지금 나가 놀자"다. 현관문을 열고 포근한 늦가을 공기 속으로 몸을 내맡겼다.

"아, 날씨 좋다!"

혼잣말을 하는 사이 서령이는 후다닥 엘리베이터로 뛰어갔다.

놀이터에는 빗나갔으면 했던 예상대로 조용하다 못해 적막했다. 하지 말라고 붙여 놓은 경고문은 아랑곳하지 않고 그넷줄을 꽈배기처럼 꽈뱅글뱅글 돌며 타던 그네, 엄마와 할머니들이 "내려와! 위험해!"를 외치게 만든 원통형 미끄럼틀, 나뭇잎을 주워 소꿉놀이를 하던 흙이 가득한 화단, 모퉁이에 둘러앉아 그림을 그리던 놀이터 바닥, 지붕이 있다는 이유로 아지트가 되었던 구름다리 밑에는 지난 시간 아이들이 흘린 웃음들이, 놀이들이, 땀방울들이 녹아 있다.

친구를 찾아 누리번거리던 서령이가 그네에 앉아 몸을 흔들었다. 날씨는 따뜻해도 그넷줄은 차가워 두툼한 겨울 장갑으로 손을 감쌌다.

"채은이 언니다."

아래층에 사는, 얼마 전까지 놀이터 친구였던 채은이가 늘 타고 다니는 분홍색 자전거를 타고 나타났다. 얼마 전 서령이는 놀이의 기본으로 "놀이터, 친구, 놀이기구"를 꼽았는데 이제야 기본이 완성되는 순간이었다. 채은이와 그네를 타다 가게에 갔다 오고 채은이가 아는 언니네 놀러 갔다 오자 점심시간이 훌쩍 지났다. 늦은 점심을 먹고 하릴없이 빈둥거리다가 서령이와 새로 문을 연 동네 도서관으로 놀러 갔다.

"그림책 세 권이나 봤어, 나가자."

세 권이면 충분했던지 서령이는 정신없이 책을 읽고 있는 나를 끌어

당겼다. 아빠는 이제 재미있어지려는데. 이런 경우 아빠가 이길 수 있는, 다시 말해 책 읽는 즐거움을 더 누릴 가능성은 경험으로 보아 지나가는 새의 똥을 정확하게 이마 한가운데 맞을 확률보다 적다.

어김없이 날은 어둑어둑해 가로등이 환하게 빛을 발했다. 낮에는 놀이터에서 놀고 오후에는 도서관 나들이까지 갔으니까 서령이 요구 사항이 어느 정도 충족된 게 아닐까 싶었는데 그건 나의 착각이었다.

"아빠, 나랑 놀자."

"……."

그 순간 어안이 벙벙해 아무 말도 하지 않았다.

"당신은 놀지 않을 권리가 있으며 불리한 진술에 대해서 묵비권을 행사할 권리가 있습니다"라는 '난 이젠 쉬고 싶어 원칙'을 행사하는 중이었다. 원칙이 존중되려면 서로 동의가 필요한데 이 경우는 일방적인 것이어서 존중되지 않으리란 건 뻔한 일이다.

그러거나 말거나 서령이는 손에 쥐기 좋은 돌멩이를 찾아 얼마 전 내린 비로 축축해진 땅에 금을 긋기 시작했다. 금이 자꾸 삐뚤어지자 내게 돌멩이를 넘겨주었다.

"아빠, 네모나게 길게 그려 줘."

그런데 흙에 선을 그을 때마다 이상하게 흥분되고 설렜다. 본격적인 놀이를 하기 전 다가오는 가벼운 흥분상태라고 할까. 어렸을 적 놀 때는 땅에 금을 긋는 일부터 시작했다. 땅따먹기, 오징어 가위상, 땅에 새

겨진 이름 찾기 등 얼마나 많은 놀이가 있었는지. 돌멩이를 단단히 쥐고 금이 지워질세라 조각하듯 깊게 그으면 어느새 놀이판이 완성되었다. 그러곤 날이 저물 때까지 놀았다. 서령이가 말한 직사각형이 완성되자 다시 돌멩이를 넘겨받은 서령이가 그 안을 다시 작은 네모로 나누고 숫자를 써 넣었다. 1, 2, 3··· 8.

"서령아. 뭐 하는 놀이야?"

"땅따먹기."

그러고 보니 어디선가 많이 들어 본 놀이였지만 애를 써도 하는 법을 기억해 내기 어려웠다. 서령이는 돌을 들고 이리 뛰고 저리 뛰며 유치원에서 배운 놀이 방법을 가르쳐 주었고 아빠는 "이렇게 하는 거야?"라며 묻는 학생이 되었다. 상황이 역전되어 옛 놀이를 딸에게서 배울 때가 오다니.

돌을 들고 깽깽이발을 했다 두 발을 벌렸다 빙글 돌고 다시 돌고 머리 뒤로 돌을 떨어뜨려 반원 안에 돌멩이를 집어넣었다. 서령이 돌이 반원 밖으로 나가자 서령이는 아빠에게 졌다며 삐져서 나무 뒤에 숨었다가 "그래 한 번 더 기회를 줄게"라는 아빠의 제안에 빙긋 웃으며 다시 돌을 떨어뜨렸다. 놀이판에는 놀이에 빠진 두 그림자가 어른거렸다.

어린 시절의 기억이 왜 떠올랐는지, 어떻게 떠올랐는지 모르겠다. 반원 안에 돌멩이를 잘 집어넣어 서령이에게 이겼다며 소리 질렀을 때였는지, 깽깽이를 뛰는 서령이 그림자를 봤을 때였는지.

기억은 아렸다. 시골에 살 때는 하루 종일, 산과 들과 냇가에서 놀고 또 놀았다. 그러나 열 살 때 도시로 이사 온 후로 친구들과 함께 논 기억은 많지 않았다. 성격도 성격이었지만 그보다는 동네에서 친구를 사귀기에는 자주, 빨리 이사를 다녔다. 어쩌면 지금, 서령이와 놀고 있는 건, 놀이터에서 아이들과 노는 건 어렸을 때 충족되지 못한 놀이 목마름 때문일지 모른다.

그 순간에도 깽깽이를 하는 서령이의 그림자가 흙바닥 위에서 춤을 추었다.

다음 날 아침, 서령이는 다리가 아프다며 주물러 달라고 했고 아빠는 아픈 다리를 주물러 주며 딸의 아픈 다리를 부러워했다.

아빠, 서운해

"놀이터에서 예은이 만나기로 했어."

서령이가 가방을 농구공처럼 내게 던지고 쌩하니 놀이터로 뛰어갔다. 낮에 자기들끼리 만나자고 약속을 했나 보다. 아이에게 약속은 두 가지다. "이 닦아라, 세수해라!"같이 실랑이를 벌이는 것이 있는가 하면 놀기처럼 하지 말라고 해도 당장 해야겠다는 의지를 발휘하는 것. 사람에게 의지의 힘은 대단해 바람을 일으키며 내달리는가 싶더니 어느새 눈에서 사라졌다.

"아빠, 예은이가 안 보여. 여기서 만나기로 했는데."

그새 놀이터 그네며 복합놀이대며 정자를 샅샅이 뒤진 서령이는 헐레벌떡 뒤따라온 아빠에게 뭔가 일이 잘못되었다는 듯 소리쳤다. "14동 놀이터에 있나?"라며 혼잣말을 하더니 아빠 대답을 기다릴 새 없이 다시 바람같이 달리던 서령이가 공원길 중간에 우뚝 멈춰 섰다.

"예은아!"

"서령아!"

14동 놀이터에서 서령이를 찾지 못한 예은이가 이쪽 놀이터로 달려오던 중이었다. 요즘 아이들이 유치원에서 연습한다는 춘향전의 이몽룡과 성춘향이 다시 만나는 장면처럼 둘은 얼싸안았다. 그 둘은 앞서거니 뒤서거니 방금 떠났던 18동 놀이터로 달려가 그네를 타고 자기들만의 아지트인 원통 속에 들어가 일 년 내내 해왔던 역할놀이를 시작했다.

　"나는 엄마. 너는?"

　"나는 아이 할래."

　아이가 가게에서 카레와 당근을 사오자 엄마는 원통에 앉아 도마에 당근을 올려놓고 자르기 시작했다. 곁에서 카레가 보글보글 끓는 모습을 지켜보는데 소리 없이 다가온 네 살 된 예은이 동생 예진이가 내 손을 잡아끌었다.

　"아저씨. 아저씨. 이거 봐 봐요."

　예진이는 구름사다리 아래에 멈춰 서더니 엄마에게 다리를 잡아 달라고 했다. 그러더니 구름사다리에 교대로 손을 뻗어 언니 오빠가 그랬던 것처럼 조금씩 조금씩 앞으로 나갔다.

　"예진이 잘하는구나. 그렇지 그렇지. 아이구야. 끝까지 갔네!"

　아이들에게 구름사다리 건너기는 이만큼 자랐다는 자부심을 뽐내는 통과의례였는데 해냈다는 기쁨으로 싱글대는 예진이는 이로써 한 뼘 더 자란 셈이다. 놀이터 가장자리를 둘러싼 붉은 벽돌 화단에 예진이가 잇아서 나를 불렀다.

"아저씨! 그림 그리고 싶어요."

예진이는 내 가방에 그림을 그릴 수 있는 작은 공책과 볼펜이 들어 있는 건 어떻게 알았을까? 종이를 찢어 볼펜과 함께 예진이에게 건넸다. 작은 종이에 "이거는요 엄마예요. 엄마가 지금…"이라며 설명을 곁들이며 엄마, 언니, 자기를 쓱쓱 그렸다. 그 순간 중국집 오토바이가 놀이터 곁을 "빠앙" 소리를 내며 지나갔다.

"짜장면 오토바이인가 봐. 맛있겠다. 예진이도 짜장면 한 그릇 먹을래?"

손으로 짜장면 그릇을 만들어 주는 시늉을 하고 나도 한 그릇 만들어 젓가락으로 후루룩 쩝쩝 먹는 시늉을 했다. 너무 맛있게 먹는 시늉을 해서였을까.

"아저씨 종이 주세요. 짜장면 그리게."

종이를 찢으려고 공책을 꺼냈더니 "저기에 그리고 싶어요"라며 아예 통째로 달란다. 예진이가 어렵사리 짜장면 한 그릇을 그렸을 때 예은이와 놀던 서령이가 예진이가 그림을 그리는 모습을 보고 달려왔다.

"아빠, 나도 그림 그릴래."

"종이랑 볼펜은 있는데 받칠 게 없네. 공책은 예진이가 쓰고 책은 예진이가 깔고 앉았고."

붉은색 벽돌 화단은 냉기를 내뿜어 그냥 앉으면 엉덩이가 얼 지경이었다.

"그럼 난 어디서 그려! 탁자는 어둡고 여기(가로등 있는 곳)는 받칠 게 없고."

"지금 예진이가 쓰고 있잖아. 동생이 쓰고 있잖아."

이 정도 말하면 "알았어" 하고 다시 예은이와 놀 줄 알았다. "우리 놀고 있었잖아"라며 서령이에게 달려온 예은이 말을 듣는 둥 마는 둥 하고 겨울잠 자는 곰처럼 원통 아지트에 들어가 꼼짝 않았다. '그림을 그리지 못한 게 그렇게 속상한가. 늘 그리는 그림인데.'

"서령아!"

마음을 달래 주려 최대한 다정하게 서령이를 불렀다. 내 얼굴을 본 서령이는 입을 삐죽 내밀고 통에서 내려와 이번에는 파고라 기둥 뒤로 숨었는데 내가 뒤를 따라가자 다시 저쪽으로 가서는 곁에 간 나를 쑥 밀어냈다. '뭐 때문에 이렇게 화가 난 거지.' 예민하게 촉수를 세워야 할 때면 먹통이 되어 무뎌지는 아빠의 레이더는 혼돈 속으로 빠져들었다.

"예은아, 예진아 들어가자."

예은이 엄마의 목소리로 잠시 혼돈을 멈추었다. 친구와 헤어져 집으로 돌아오는 내내 두어 걸음 앞에서 뒤도 돌아보지 않고 걷던 서령이는 집으로 들어와 코트를 벗자마자 휙 던지고 안방으로 들어갔다.

"똑바로 갖다 놔!"

마루에 널브러진 코트를 보자 큰 소리가 용암이 터지듯 목구멍으로 튀어나왔다. 잠시 후 안방 문을 살며시 열더니 널브러진 코트를 가로질러 내 앞에 앉았다. 그런데 화난 얼굴이 아니었다. 그렇다고 주눅 든 표

정도 아니었다. 서령이는 울먹이고 있었다.

"아빠가 예진이한테 줘서 서운했어?"

"오늘 유치원에서 동생들한테 다섯 번 양보했어."

"그렇구나. 유치원에서도 계속 양보했는데 놀이터에서도 그래서 서운했구나."

고개를 끄덕이는 서령이를 꼭 안아 주자 서령이 눈에서 눈물이 흘러내렸다.

가끔 아이들은 스트레스를 받지 않을 거라고 착각을 한다. 그래서 화나고 답답한 마음을 헤아리지 못한다. 아이도 울고 웃고 짜증 내고 화내는 사람인 것을 종종 잊는다.

추위를 모르는 아이들

　놀이터에 아이들을 데리고 나가는 어른들은 내심 겨울을 기다린다.

　기다리던 추위가 어제 저녁 갑자기 다가왔다. 낮에 잠깐 내린 눈을 맞은 아이들의 흥분도 잠시, 눈은 살짝 얼굴을 보여 주는가 싶더니 이내 추위를 몰고 왔다. 복도식 아파트라 서둘러 벽에 붙은 수도 계량기에 보온재를 꽉꽉 눌러 넣는데 손이 찌르르 시렸다. 예고편 없이 바로 본편의 절정을 맛본 느낌이었다.

　다음 날도 여전히 추웠다. 유치원을 마친 서령이가 같은 반 친구 여원이를 만났다. 다른 아파트 단지에 사는 여원이는 두 주 전 금요일에 같이 놀이터에서 놀았었다. 이렇게 추운 날 놀 수 있을까 싶었는데 역시 아이들은 예상을 훌쩍 뛰어넘어 놀이터로 뛰어갔다. 친구인 유빈이도 함께였다.

　"아빠, 현서가 안 보여. 현서네 집 가도 돼? 놀이터에서 만나기로 했는데."

　"그래. 갔다 와. 여기서 기다릴게."

잠시 후 숨을 헐떡이며 돌아온 서령이가

"현서 나온대. 옷 입고 온대."

라고 말하고는 놀이터로 뛰어갔다. 목도리를 하기 싫어해 어지간해서는 목도리를 하지 않는 서령이 목을 볼 때마다 보는 내 목이 덜덜 떨렸다.

"너 안 춥니?"

"안 추워."

그러나 보는 내가 추워서 집으로 들어가 목도리를 챙겨서 나왔다. 이제는 놀이터에 오려면 장갑, 목도리, 모자가 필수품이다. 그사이 머리에서 발끝까지 중무장한 현서가 나왔다. 서령이와 현서는 뛰어다니고 유빈이와 여원이는 그네를 탔다. 놀이터에서 움직이는 건 아이들이고 멈춰선 건 어른들이다. 춥지 않은 건 아이들이고 추운 건 어른들이다.

"파도타기 해주세요."

그네를 잡고 이리 흔들 저리 흔들 해주었는데 아이들이 무섭지 않단다.

"안 무서워요."

애들이 조금 있으면 여덟 살 된다고 이제 안 무섭단다. 그래 너희들 많이 컸다. 갑자기 아이들이 와자지껄하며 며칠 전 내린 비가 얼어 얼음판이 된 놀이터 구석으로 모여들었다. 초등학교 아이들이 얼음을 지치고 한 아이가 더 미끄럽게 한다며 물을 뿌려 댔다. 식탁 크기의 얼음판 위에서 대여섯 명이 복작거렸다. 옛날 시골에서는 저수지나 개울 얼음판이 인기 좋은 놀이터여서 썰매를 타고 팽이를 돌리고 때로는 구멍을 뚫어 물고기를 잡았다. 바람 부는 날이면 언덕에 올라가 코를 흘리며 손이 얼얼할 때까지 연을 날렸다. 지금 아이들에게는 옛날 옛적 책에나 나오는 이야기이지만 불과 수십 년 전까지 그렇게 살았다.

잠시 왁자지껄하던 남자 아이들이 빙판 무대를 떠나자 이번에는 기다렸다는 듯이 서령이 친구들이 그 자리를 이어받았다. 아이들이 빙글빙글 돌면서 춤을 추는데 어느 걸 그룹 춤 같기도 하고 발레 같기도 했다. 역시 얼음에서는 돌아야 제맛이다. 그 좁은 곳에서도 어떻게든 도는 아이들을 보면 사람에겐 어떤 곳에서든 놀고 싶은 유전자가 있구나 싶었다.

춤을 추며 복작대던 아이들이 갑자기 달려와 옷을 잡았다.

"얼른 놀아 주세요. 괴물놀이 해주세요."

"그럼 너희들이 괴물?"

"아니요. 아저씨가 괴물이요."

앗싸 추웠는데 몸을 데울 만할 일이 생겼다. 서령이에게 괴물놀이는 한 해 내내 해서 시큰둥하지만 다른 아이들에겐 여전히 매력적인 놀이다. 괴물놀이의 가장 큰 미덕은 근면성이다. 한 아이를 잡는 척하다 다른 아이에게 뛰어가 잡는 척해서 아이들이 적당히 긴장하도록 만들어야 한다. 그렇게 하려면 근면하고 성실해야 한다. "으앙" 소리를 지르면서 괴물이 되어 잡을 듯 말 듯 적당히 뛰었다. 거의 따라가는 척할 때마다 아이들은 "아악" 하고 비명을 질렀다. 놀이터 원통 속으로 들어가고 화단

뒤 나무에 숨다 맞닥뜨리면 손으로 손칼을 빼들고 원수를 만난 것처럼 칼싸움을 했다. "챙챙." 이럴 땐 팽팽한 척하다가 슬며시 밀려 주어야 한다. "으악~." 칼에 맞았다.

이번에는 괴물을 피해 근처에 있는 아이들의 안전지대인 유치원으로 몰려갔다. 사람이 살면서 지치고 힘들 때면 갈 수 있고 기댈 수 있는 안전지대가 꼭 필요한데 지금은 유치원이다. 이번에는 따라가지 않고 멀리서 지켜보았다. 움직이지 않으면 발끝으로 손끝으로 추위가 몰려와 아이들과 같이 뛰어다니는 게 훨씬 덜 추웠다.

유치원에서 나온 아이들은 다시 괴물 역할을 하는 나를 피해 놀이터를 종횡무진 누비다 식탁으로 몰려갔다. 날이 추워도 모여서 먹으면 더 맛있나 보다. 먹을거리를 먹고 다시 노는 사이 날은 더 추워졌다.

"여원아. 동생이 발 시려 해. 이제 가야 할 것 같아. 다음 주에는 중무장해서 오자."

아직 몸도 풀지 못했다는 듯 여원이는 많이 아쉬운 표정이었다. 이제 한 시간 남짓 놀았는데, 아직 친구들이 저렇게 놀이터에 있는데 어쩔 수 없이 혼자 가야 하다니! 그렇게 여원이가 아쉬워하며 떠나고 이번에는 장갑을 끼지 않아 손이 언 유빈이도 못내 아쉬운 듯 천천히 집으로 돌아갔다.

"그네만 멈추고요."

이제 그만 들어가자는 말에 서령이와 현서가 동시에 말했다. 그러나 그네가 멈추려고 하면 다리로 밀고, 멈추려고 하면 또 다리로 밀어 그네는 멈출 줄 몰랐다. 우여곡절 끝에 가까스로 그네가 멈춰 이제는 들어갈 수 있겠구나 싶었는데 갑자기 현서가 철봉으로 달려가 장갑을 벗고 철봉을 올라갔다. 아! 얼마나 손 시릴까. 철봉에서 내려온 현서가 손을 움직이지 못했다.

"현서야. 이제 집에 들어가서 따뜻하게 몸 녹여야 해."

이번에는 서령이가 장갑을 벗더니 철봉을 잡고 올라갔다 재빨리 내려왔다.

"아빠, 나 인형 손 됐어. 못 움직이겠어. 손이 아파."

차가운 겨울 맛을 제대로 느꼈겠다. 다음에는 아이들이 단단히 무장하고 놀이터에 모이지 않을까. 우리가 떠난 놀이터에는 찬바람만 쌩쌩 불었다. 이제 놀이터도 긴 겨울잠을 자야 할 때가 다가왔다.

놀이터의 긴 휴식

드디어 놀이터가 긴 휴식에 들어갔다. 날이 짧아지고 날씨가 추워지면서 놀이터에서 아이들이 하나둘 사라졌다. 그네에 앉은 엉덩이가 시릴 때 아이들은 놀이터를 떠나 새로운 길을 모색한다.

유치원이 끝나면 벌써 어둑어둑하다. 이 시간 놀이터에는 아무도 없다. 다들 집에 있는 모양인데, 서령이뿐만 아니라 아이들 대부분이 집에 있는 시간이 점점 길어진다. 겨울이 되면 모순에 빠진다. 아이가 집에 있어서 집안일을 하기에 편한 반면 아이가 하나뿐인 집은 같이 놀아야 한다. 서령이는 혼자 잘 놀기도 하지만 중간에 한 번은 아빠에게 놀아 달라며 조른다. 이때는 "나하고 놀기"라는 바람을 강력하게 요구해 피해 가기 힘들다.

"아빠, 놀아 줘."

한창 설거지를 하거나 청소를 하거나 혹은 음식을 만들 때 이 말이 들리지 않길 바라지만 바람이 이루어진 적은 거의 없다. 하던 일을 당장 멈추고 놀 때도 있지만 대개는 "아빠, 설거지 좀 하고"라고 말한다. 그러면 아이는 다른 놀이를 하면서도 잊지 않고 때 되면 "설거지 다 했지?"
란다. 혹은 밥을 먹은 뒤 잠깐 쉬려면 "아빠 놀자"란다. 이럴 땐 세상에
서 "놀자"처럼 무서운 말이 없다. 이제 잠깐 한숨을 돌리려고 "잠깐만 쉬
고"라면 정말 잠깐 후에 다시 와서 "나도 많이 기다렸단 말이야"라며 재
촉한다. 이때 잠깐의 기준은 너무 달라 영겁과 찰나가 함께 들어 있는
것 같았다.

사실 서령이가 놀자고 할 때 당장 하던 일을 멈추고 흔쾌히 "그러자"
며 말할 때가 적다. 그때 서령이가 제안하는 건 서령이 승률 100퍼센트
의 가위바위보다. "아빠 내가 져줄게. 뭐 낼 거야?"라는 말이 나오는 순
간 경기는 끝이다. 사전 정보를 입수한 서령이가 "져줄게"라는 말과 달리
늘 이기는 쪽을 선택하니까. 이럴 때는 빨리 마음을 비울수록 내가 편
하다.

"놀아 주지 말고 같이 놀자!"

얼마 전에는 블록으로 서령이는 에펠탑을, 나는 독수리를 만들었다.
서령이는 엄마에게 누구 것이 잘 만들었는지 물어보자고 했다. 아내에
게 전화가 오자 자기를 바꿔 달라더니 블록 앞에 서서 아주 조용히 말
했다.

"(에펠탑 앞에서) 시계 하나 있고 동물들 별로 없는 게 내 꺼고 그리고
기린 하나 있고 사람 하나 있고 문이 있는 게 내 꺼예요. 꽃도 있고요.
그게 내 꺼예요. 에펠탑에 이렇게 문이 있고 여기에 페티가 그려져 있는

게 내 꺼예요. 내가 그거 알려 주려고 한 거예요. 그럼 끊어요."

사전에 정보를 입수한 아내가 내린 판정은 서령이 승.

요즘 집에서 가장 많이 하는 건 그림 그리기다.

"아빠 그림 그리자."

다행히 이건 나도 좋아한다. 서령이는 자기와 같은 주제를 그리자고 하지만 나는 내가 그리고 싶은 걸 그린다. 요즘은 청동거울의 복잡한 문양에 빠져 며칠 동안 세밀한 문양을 꼼꼼하게 그리는 걸 본 서령이가 아빠에게 툭 던졌다.

"끈기 있게 하는 건 좋은 거야."

블록과 마찬가지로 그림 그리기를 하고 나면 엄마에게 심사를 받는다. 심사를 몇 번이나 해도 심사평과 심사결과는 늘 같다.

"서령이 그림은 살아 있어. 서령이가 그림이 잘 그린 것 같아."

하지만 엄마나 아빠가 자기보다 잘 그렸다고 생각하면 신경질을 낸다.

"엄마가 더 잘 그렸잖아."

혼자 놀 때는 블록을 만들거나 그림을 그리거나 책을 읽거나 가끔씩 글을 쓰거나 인형과 함께 역할놀이를 한다. 역할놀이 할 때 보면 1인 4역은 하는 것 같은데, 배역에 따라 목소리를 바꾸는 걸 보고 있으면 웃음이 난다. 가끔은 냉장고에서 밀가루나 음식물을 꺼내 자기 나름대로 음식을 재해석해 만들기도 한다.

친구들과 놀이터에 있는 시간이 줄어들자 아이들은 서로 집으로 초대하거나 놀자고 전화하는 일이 늘어났다. 얼마 전에 황희가 자기 집에 놀러 오라고 서령이에게 초대장을 보냈고 여원이도 노란 색종이를 하트 모양으로 접은 초대장을 보냈다.

"서령아, 내일 같이 놀자. 그리고 내 집에 놀러 와."

서령이도 친구들에게 초대장을 여러 번 보내 집에 놀러 오라거나 놀이터에서 같이 놀자고 했다.

"우리 집은 9층이고 맨 끝이야. 그리고 핑크색 자전거가 있는 곳으로 와. 알겠지."

초대장을 받을 때는 기분이 좋고 줄 때는 떨린단다. 물론 초대장을 받는다고 다 가는 건 아니지만 요즘 들어 친구네 집에 놀러 가는 일이 잦아졌다. 한번은 서현이가 서령이를 초대했다.

"서령아, 서현이네 놀러 갈래?"

"응 좋아."

이러면 나는 편한 데다 "저녁 먹이고 보낼게요"라는 말을 들으면 더할 나위 없이 좋다.

어느 일요일 아침 황희에게 전화가 왔다.

"서령이가 초대를 했는데요. 언제 가면 돼요?"

이건 무슨 말이지.

"서령이가 초대를 했어? 잠깐만 아저씨가 다시 전화할게."

이제야 생각났다는 표정을 짓는 서령이에게 물었다.

"서령아, 황희 초대했어?"

"응. 황희 초대했는데."

"초대했으면 알려 줘야지."

"미안. 까먹었어."

두 시에 오라고 했는데 서령이는 열두 시부터 복도에 나가 황희가 오는지 살펴보고는 들어갔다 다시 나가기를 반복했다.

"오려면 좀 시간이 남았어. 친구 온다니까 기대돼?"

"응. 황희도 금요일부터 설렜을 거야."

어느 날 유치원을 마치고 동네 도서관으로 책을 보러 갔다. 가는 길에 놀이터를 들여다보니 아무도 없어 놀이터는 철 지난 해수욕장처럼 썰렁했다. 겨울바다는 낭만이라도 있지만 놀이터는 찬바람만 쌩쌩 불었다. 따뜻한 도서관에 앉아 이제 막 책을 읽으려고 할 때 전화기가 울렸다.

"아저씨 어디예요? 놀고 싶어요."

황희가 놀자는 전화를 했다고 하자 서령이가 바로 책을 덮었다.

"놀 거야!"

밖은 이미 깜깜해져 가로등이 환했다. 날이 비교적 따뜻해 놀기에 춥지 않다. 서령이는 공원 언덕에서 기다리던 황희를 만나 정자에 올라 잡기놀이를 했다. 갑자기 둘은 공원 운동장으로 내려와 털썩 눕더니 뒹굴뒹굴 계속 굴러다녔다. 장갑을 끼지 않은 손은 빨갛게 바뀌었는데도 춥지 않단다.

"서령아, 장갑 껴."

이 말에도 장갑은 끼지 않고 여전히 굴러다녔다. 어지럽지도 않은지 운동장을 몇 번째 가로질렀다.

"황희야. 눈 감고 굴러 봐. 더 재미있어."

아이들은 추위와 어둠에 맞서 새로운 방법으로 논다.

눈 오는 날

드디어 많은 눈이 내렸다. 서령이가, 내가 오래도록 기다리던 눈이었다.

첫눈다운 첫눈이 내린 건 지난 주였다. 국립중앙박물관 도서관에서 자료를 찾는데 밖을 보니 눈이 펄펄 내리고 있었다. 그때 아이들이 가장 먼저 떠올랐다. '아이들이 얼마나 좋아할까. 이왕 올 거면 많이많이 내려라.' 자료를 덮고 박물관 광장으로 나가 가만히 서서 올해 첫눈을 맞았다. 아이들도 첫눈을 맞았겠지.

"눈 내리는 거 봤어?"

유치원에서 서령이를 만나자 물었다.

"응. 눈 맞았어. 선생님이 눈 내리는 거 보고 '애들아 나가자' 그랬어. 눈도 맞고 빙글빙글 돌고 그랬어. 눈 오면 애들이 썰매 가지고 나오지. 눈사람도 만들고. 작년에 어떤 애는 얼음을 굴렸지."

작년 눈 올 때 뭐를 했는지 도무지 기억나지 않는데 아이들은 참 많이 기억한다.

오늘은 일기예보대로 많은 눈이 내려 공원도, 주차장에 세워둔 차들도 온통 하얀색이다. 출근길 대란이 벌어지는 오늘 같은 날, 아이들에게는 다시없는 축제다. 그동안 눈이 올 때면 눈싸움, 눈사람 만들기, 눈썰매 타기, 눈 위에 눕기를 했다. 그중에서 가장 기분 좋았던 건 눈 위에 나란히 누워 하늘을 봤을 때였다.

잠에서 깬 서령이를 얼른 담요로 감싸 안고 복도로 나갔다.

"유치원 하얗게 됐다. 얼른 사진 찍어."

서령이 말대로 하얀 모습이 더 선명하다. 그쳤던 눈이 다시 내리자 서령이가 손으로 눈을 만져 보려다 하늘을 봤다.

"모기가 내려오는 것 같아. 우리 동네에만 눈이 와요, 온 세상에 눈이 와요?"

"온 세상에."

"하늘이 반쪽 나면 좋겠다. 우리 동네에만 눈 내리게."

계속 눈 내리는 하늘을 보던 서령이가 "추운데 멋있어"라며 감탄했다.

"오늘 애들은 좋겠다."

라고 말하니까 서령이가 그렇다는 표정을 지으며 덧붙였다.

"당연하지. 애들은 좋겠지만 어른은 안 좋아. 애들이랑 계속 놀아야 되니까. 그럼 힘들잖아."

서령이 말대로 어른은 계속 놀아야 하는 날이다. 서령이를 유치원에 보내고 눈 쌓인 산을 보고 싶어 뒷산에 올라갔다. 걸을 때마다 들리는 뽀드득 소리, 흔들리는 나뭇가지에서 떨어져 흩어지는 눈송이들, 우르르 몰려다니는 새떼의 날갯짓이 만든 풍경 속을 걷고 있으려니 마음이 한결 깨끗해지는 것 같았다.

신발이 젖을 때까지 돌아다니다가 산을 내려오는데 언덕길에서 아이들 목소리가 들렸다.

"박서령 아빠다."

마침 눈을 보러 산으로 올라오는 서령이 반 아이들이었다. 아이들과 인사를 하며 내려오는데 서령이가 눈을 굴리며 언덕을 올라왔다.

"애들아, 재미있게 놀다 와."

아마 산에서 눈사람을 만들고 눈싸움을 하며 놀 마음에 들떠서인지 아이들 얼굴이 벌써 상기되었다. 집으로 들어가려다 눈 온 풍경이 아까워 공원을 한 바퀴 돌고 들어가기로 하고 공원으로 들어갔는데 그곳에는 이미 눈사람을 만들고 눈싸움을 하는 아이들로 가득했다. '누굴까?' 하는데 눈사람을 만드는 유빈이, 가지에 쌓인 눈을 모아 구슬처럼 만드는 유나가 보였다. 그렇지 않아도 서령이 친구들은 어디로 갔나 싶었는데 다들 이곳으로 왔구나.

아이들은 하얀 캔버스 위를 알록달록한 물감처럼 수를 놓으며 부지런히 눈사람을 만들고 있었다. 눈덩이를 굴릴 때마다 팥을 묻힌 떡처럼 눈덩이에 흙이 묻었다. 그런데 이번 눈은 물기가 많아 잘 뭉쳐지는 대신 크기가 커지면 혼자 굴리기에는 무척 무거웠다. 이럴 때는 친구 서넛이 같이 달라붙어 "영차 영차" 소리를 내며 밀었다.

"박서령 아저씨! 도와주세요."

그래도 안 되면 구경하던 내게 도움을 청했다. 출동이다. 눈덩이를 언덕 꼭대기까지 밀어 주고나자 여기서기서 "박서령 아저씨!"를 찾았다. 아이들이 애쓴 덕분에 공원 곳곳에 크고 작은 눈사람들이 점점 늘어났다.

"선생님, 사진 찍어 주세요!"

눈사람을 완성한 아이들이 유치원 선생님을 목 놓아 불렀다.

아이들이 엉덩방아를 찧으며 눈썰매를 타는 언덕을 지나 눈사람을 만드느라 부산한 운동장으로 갔다. 눈사람을 만드는 아이가 보이는가 하면 어떤 남자 아이들은 선생님에게 눈을 뭉쳐 힘껏 던지고 도망갔다.

"그렇게 세게 던지면 아퍼."

예나 지금이나 변하지 않는 모습이다. 한 반 아이들이 눈 위에 둥그렇게 눕자 눈 위에 큰 꽃 한 송이가 피어났다. 손과 발을 뻗으며 움직이는 꽃을 만든 아이들 눈에 하늘은 어떻게 비쳤을까. 아이들 얼굴은 대단히 감동적인 일을 한 듯 뿌듯한 표정이었다.

오후에 유치원에서 서령이가 나를 만나자마자

"아빠, 집으로 가자."

라고 했다. 곧바로 공원으로 달려갈 줄 알았는데 뜻밖이었다. 설마 놀지 않으려는 걸까?

"신발이 젖었어. 차가워."

그럼 그렇지. 아까 눈에서 놀다 젖은 모양이다. 집으로 돌아와 양말을 갈아 신었다.

"서령아, 밖에 나가자."

"왜?"

"눈사람 만들러 가야지."

"오예!"

유난히 "오예"가 크게 들렸다. 기분 탓인가. 그런데 날이 따뜻해 공원에 내린 눈은 거의 다 녹아 흙이 훤하게 드러났다. 눈이 남은 곳은 운동장뿐이어서 그곳은 눈사람을 만드는 아이들, 썰매를 타는 아이들로 시끌시끌했다. 아는 아이들이 있으면 같이 눈사람을 만들고 눈싸움을 할 텐데 오늘따라 아는 아이가 보이지 않았다.

그런데 눈 온 풍경과 어울리지 않게 운동장의 눈을 온 힘을 쏟으며 너까래로 미는 아저씨가 보였다.

"눈 치우러 와요."

눈을 치우면서 어디론가 바쁘게 연락하는 아저씨들은 이곳에서 놀고 싶은 조기축구회 회원들이다. 놀기 위해서 이 넓은 운동장을 단 두 명이 땀을 뻘뻘 흘려가며 치우는 걸 보면 어른 역시 아이만큼이나 놀기 위해 세상에 온 게 틀림없었다.

이미 많이 녹아 질척한 눈을 이리 굴리고 저리 굴려 눈사람 몸을 만들고 머리를 만들었다. 이제부터 코디는 서령이, 자재 소달은 아빠 몫이다. 서령이 지시에 따라 주워 온 나뭇가지와 솔방울로 눈, 코, 입을 만들고 옷에 단추를 끼워 주었다. 손을 만들고 마지막으로 낙엽으로 디테일을 완성한 모자를 씌워 주었다.

"아빠, 그렇게 끼면 멋이 없어, 이쪽에 끼워, 아빠 단추가 안 예뻐. 단추 안 보이게 하는 게 어때, 이 손은 어울리지 않아. 이거로 끼워."

눈사람 만드는 데 온갖 정성을 기울였고 그 덕분에 지나가는 아이들이 발걸음을 멈추고 "와! 예쁘다"라며 감탄을 연발했다.

"아빠 기념사진 찍어 줘."

더 이상 손볼게 없이 잘 마무리가 되었다고 생각했는지 서령이가 자랑스럽게 눈사람 옆에 섰다. 눈사람 옆에서, 뒤에서, 앞에서 사진을 찍는 사이 날이 점점 추워졌다. 장갑은 이미 흥건하게 젖었고 신발도 마찬가지였다.

"눈사람 안녕. 잘 있어."

진짜 친구에게 말하듯 인사를 건네고 발걸음도 가볍게 집으로 돌아왔다. 집으로 들어서자마자

"눈사람 잘 있겠지? 작년에 만든 게 형이고 이게 동생이야. 이름을 뽀삐라고 할 거야."

란다. 작년에는 인형만 한 눈사람을 만들어 집 앞에 놓아두었었다.

"아 기분 좋다. 눈사람 만들어서."

나도 기분 좋다. 눈이 빨리 녹고 공원에 아이들이 없어서 기대했던 눈싸움을 할 수 없었지만, 눈이 금방 녹아 눈썰매를 타지 못했지만 아침부

터 저녁까지 눈 속에서 놀았다. 눈 쌓인 숲을 산책하고 눈에서 노는 아이들을 봤으며 딸과 같이 눈사람을 만들었다.

기다리고 기다리던 눈 내린 날이 지나갔다. 하루하루 겨울이 지나가면 다시 봄이 찾아오겠지. 그때면 서령이도 초등학교 1학년, 그때 서령이는 놀이터에서 무엇을 하며 놀까? 나는 그때 무엇을 하고 있을까?

내게 놀이터는 무엇이었을까

놀이터를 기록한 지 4년이 흘렀다. 그동안 놀이터를 주름잡던 유치원 딸아이는 곧 초등학교 5학년이 된다. 밥 먹듯 놀이터를 찾았던 딸아이는 그사이 놀이터를 어린아이들이 노는 곳 정도로 생각하더니 더 이상 놀이터에 발걸음하지 않는다. 행동반경이나 생각이 그때와는 비교할 수 없을 정도로 넓어지고 달라져 놀이터 밖의 놀이터를 찾아 나갔다. 딸아이뿐만 아니다. 나 역시 놀이터 옆을 지나갈 뿐 애써 놀이터에 들어갈 일은 별로 없다.

내가 마지막으로 놀이터에 간 건 딸아이가 초등학교 3학년 무렵이었다. 유치원을 졸업하고 초등학교에 들어갔어도 딸아이와 친구들은 여전히 놀이터와 공원에 모여 줄기차게 놀았다. 학교에서 집으로 가는 길에 놀이터가 있어 참새가 방앗간 지나치지 못하듯 저절로 그쪽으로 발걸음을 옮겼다. 그때 마침 나는 한 신문사에 놀이터 이야기 언제를 시작해 글도 쓸 겸, 아이들 노는 모습도 볼 겸, 보호자도 할 겸 놀이터에 머무는 일이 잦았다.

초등학교에 들어가면서 놀이에도 작은 변화가 생겼다. 아이들은 아이들끼리 끊임없이 무언가를 하였고 그사이에 내가 들어갈 여지는 조금씩 줄어들었다. 자연스러운 일이었다. 아이들이 놀이터에서 다시 보낸 세 계절 동안 여전히 그곳에서는 흥미로운 일이 생겼다. 아이들은 모이기만 하면 질리지도 않는지 '무궁화꽃이 피었습니다'와 '땅따먹기'를 했다. 특히 '무궁화꽃이 피었습니다'를 할 때 아이들이 살금살금 술래에 접근하다 한꺼번에 우르르 흩어질 때의 모습이란! 여름에는 물총놀이로 놀이터를 한바탕 시원한 물놀이장으로 만들기도 했다. 때때로 어른들은 저녁을 준비해 놀이터에서 아이들과 함께 먹기도 했다.

3학년이 되자 아이들이 놀이터에 나오는 시간이 눈에 띄게 줄어들었다. 그 시간 아이들은 행동반경을 놀이터에서 동네 곳곳으로 넓혀 가기 시작했다. 한때 세상의 중심이었던 놀이터는 더 이상이 아이들에게 놀이의 중심지가 아니었다. 놀이터의 단순한 놀이기구는 점점 커가는 아이들을 만족시킬 수 없었고 그 크기로는 아이들의 에너지를 담기 어려웠다. 이제 동네가 놀이터가 되면서 나도 놀이터를 졸업했다.

가끔 놀이터를 지나면서, 함께 놀던 공원 숲을 가로지르면서 문득 궁금해진다. 훗날 아이들은 이 시절을 어떻게 기억할까, 기억은 할까? "옛날에 놀이터에서 아이들과 놀았는데 거기에 친구 엄마, 아빠, 할머니가 있었어"라고 기억할까, 아니면 "그때 재미있게 놀았지"라거나 혹은 막연

한 잔상만 남을까? 그 시절을 어떻게 기억하든 "그때 친구들과 재미있게 놀았어"라는 느낌 한 자락만 있어도 좋겠다. 혹 아이들이 그 시절을 기억하지 못한다 해도 놀이터에서 겪은 많은 일들이 아이들이 자라는 데 좋은 자양분이 되리라 굳게 믿는다.

최근 몇 년 사이에 다양한 놀이터가 논의되고 제안되고 또 실현되고 있다. 동네 놀이터뿐만 아니라 학교 놀이터에도 변화의 바람이 곳곳에서 불고 있다. 그런데 아직은 어느 동네 어느 놀이터에 가든 비슷비슷하다. 새로운 놀이터는 이런 붕어빵 같은 틀에서 벗어나 아이들의 다양한 요구에 맞춰 흥미로운 공간과 신선한 놀이기구를 갖춘 곳이 많다. 초등학교 저학년 정도가 아니라 고학년이 놀아도 좋을 정도다. 새로운 놀이터가 아이들이 모험을 즐기고 상상하는 곳이 되고 친구들을 만나 왁자지껄하게 마음껏 뛸 수 있고 소리를 지를 수 있는 곳이 되기를 바란다.

놀이터는 아이들이 놀지만 아이들만을 위한 공간은 아니다. 보호자 역할을 하는 어른들이 아이와 함께 놀이터에 머무는 경우가 많다. 그렇다면 놀이터에도 아이들을 위한 시설뿐만 아니라 어른들이 쾌적하게 머물기 위한 시설도 있어야 한다. 편안한 의자 하나로부터 변화가 시작될 수 있다.

적지 않은 시간을 보냈던 놀이터는 내게 무엇이었을까? 딸아이가 아니었다면 평생 오지 않았을 놀이터, 그곳에서 아이들이 즐거워하는 모습과 자라는 모습을 지켜봤다. 또한 아이들에게 놀이는 본능이란 것과 그 본능은 어른들 역시 마찬가지라는 것도 알았다. 그 시간 동안 많은 아이들을, 어른들을 만난 것도 놀이터였다. 놀이터는 딸아이의 기억이자 나의 기억이었고 나아가 둘 사이의 공통된 기억이자 추억이었다.

함께할 추억을 만들었다는 것, 이것만으로도 이미 충분하다.